S0-BLK-998

广东侨乡文化研究中心项目成果

中国第一侨乡

台山历史文化集

第四编

陈宜禧与新宁铁路

主　　编:谭国渠　胡百龙　黄伟红
副 主 编:梅伟强　马福荫　张国雄
本编撰著:戴永洁

中国华侨出版社

图书在版编目(CIP)数据

陈宜禧与新宁铁路 / 谭国渠、胡百龙、黄伟红主编.
—北京:中国华侨出版社,2007.11
(台山历史文化集)
ISBN 978-7-80222-484-1

I. 陈… II. ①谭… ②胡… ③黄…
III. 铁路运输－交通运输史－台山市 IV.F532.9

中国版本图书馆 CIP 数据核字(2007)第 166698 号

台山历史文化集

陈宜禧与新宁铁路

戴永洁 / 撰著

责任编辑:王　晖
封面设计:舒天阳
出版发行:中国华侨出版社
(北京市安定路 20 号)
排　　版:台山市彩宁纸品印制有限公司
(台山市台城镇长岭工业区)
开　　本:850× 1168 毫米　1/32
印　　张:5.5
字　　数:50.9 千
版　　次:2007 年 11 月第 1 版
书　　号:ISBN 978-7-80222-484-1

目 录

序

郭　伟

多年来，在接待海内外乡亲和嘉宾时，有时竟不知选择什么礼物来表达我们的情感和敬意为好。今天，当我看到五邑大学的老师们编写的《台山历史文化集》时，感到非常欣慰。细细读来，耐人寻味，引人入胜，觉得这是一份珍贵的礼物。该书的选题充分体现了台山的人文精神和侨乡文化的“精髓所在”。这是一种无形的、内在的要素资源，是台山这个“中国第一侨乡”的一张靓丽名片。

台山是中国闻名遐迩的侨乡，也是文化之乡。以陈宜禧先生为杰出代表的奋斗在海外的台山人，具有开拓开放的创新意识、锲而不舍的意志品质和爱国爱乡的奉献精神。长期以来，奋斗和生活在台山的人们，继承中华民族的优良传统，锐意进取，在政治、经济、科学、文化等领域取得了令人瞩目的成就，同样表现出“爱国爱乡、开拓开放”的台山人精神。海内外的台山人都蕴含着极大的凝聚力。这种凝聚力表现为对民族文化的认同，对民族利益的捍卫，对民族统一体的坚贞，对民族山河的热爱。这种凝聚力的核心，就是千百年来凝聚起来的对台山热土的深厚感情，对台山悠久历史、灿烂文化和乡土民情的无限热爱，对促进台山社会经济文化发展的强烈责任感和奉献精神。

从文化类型学和文化发生学的角度考察，任何文化都是一定民族和区域的文化。今天，我们从《台山历史文化集》来观察台山侨乡文化精神，不难发现台山作为人们头脑中的一种区域概念，并不是简单地源于行政区域，更主要是根植于深厚的历史和文化基础之中。从秦汉以来，特别是唐宋以后，台山不断得以开发，尤其是在明弘治十二年（1499年）正式设立新宁县以来，在中华文化的孕育和旅外乡亲居住国（地）文化的影响下，逐渐形成了具有岭南和侨乡特色的文化特征，形成了善于接受外来新事物、锐意创新的思维方式。改革创新、科学发展已成为今天侨乡台山文化的核心内容。

“十一五”期间，台山市以推进跨越式发展，建设有侨乡特色的文化大市、法制社会、和谐台山，实现全市人民富裕安康为总目标，坚持全面实施“工业强市、强镇富市、创新兴市、商旅旺市、和谐稳市”五大战略，积极发挥“资源、环境、侨乡、后发”四大优势，奋力拓展大交通、大能源、大港口、大开发格局，努力把台山建成港珠澳大桥通往粤西的交通枢纽、华南地区重要的海上通道、中国最大的电能源产业基地、珠三角新的投资热土和现代化的新侨乡。文化既有凝聚的作用,又是鼓舞和推动发展的力量,在进一步改革开放的国际化背景下,区域之间的竞争很大程度上归结于文化竞争力的较量。我们要大力弘扬以陈宜禧先生和伍舜德先生为代表的“爱国爱乡,开拓开放”的台山人精神,坚决摒弃“南风窗情结”和“候鸟心态”,彻底剔除贪图安逸、依赖保守、小富即安、小进则满的劣根性,牢固树立自立自强、奋发有为、干大事业、求大发展的新观念,不断增强机遇意识、发展意识、责任意识和忧患意识,以昂扬向上的精神状态,担负起振兴台山的历史使命。

今天的台山已经是一座美丽的侨乡都市。但我们的城市发展仍面临着两大挑战,一是全球化竞争的挑战,二是信息时代信息化的挑战。应对这些挑战更需要挖掘自身独特的文化内涵。著名美籍华裔建筑师贝聿铭说:“每一个城市都有自己的历史文化,因而也有自己的个性与特色。”个性与特色既是城市文化的具体体现,又是城市的品牌、优势和竞争力之所在。城市的建筑和发展是“形”,文化内涵是“神”。没有个性文化的城市就像一个没有个性的人,展现在人们眼前的只是千篇一律的“水泥文化”,必然失形无神、落入俗套。今天经营城市不仅要经营土地、资源、资金和人才,还包括经营城市的文化,形成独具特色的文化产业。外来的投资者对城市的第一印象和深刻的记忆也首推文化，城市的文化越具特色，其吸引力就越强，文化的影响力就越持续深远。

侨乡台山文化是对台山的民俗特征、思维方式、社会心理、价值取向等精神成果的总体认同，是台山人精神的核心之一，也是一定时代精神的体现。大力宣传侨乡台山文化，弘扬台山人精神，对促进台山社会经济的又好又快发展具有重大深远意义。

首先，有利于培育爱国爱乡、艰苦创业的精神，推动台山经济实现跨越式发展。今天我们倡导和弘扬侨乡台山文化的根本目的在于推动创业。人文精神为人们的创业提供精神动力，台山的创业环境如果没有人文精神的支撑就缺乏后劲。弘扬侨乡台山文化就能使我们坚持解放思想，坚持改革开放，开阔眼界，敞开胸襟，自觉吸收新的信息，汲取新的营养，克服习惯的思维方式，冲破传统的观念，保持思想的敏锐性，从而准确地发现市场经济发展的新趋势，捕捉和把握创业的新机遇。

其次，有利于培育开拓开放的进取精神，形成核心竞争力。核心竞争力是指地区在发展过程中形成的明显优势和促进区域经济社会持续快速发展的能力。中国传统文化是在多元一体化的格局下发展起来的，不同民族和不同地域的文化，都是中国人民在特定的地域里，通过长期的卓绝努力而创造出来的。不同地域的文化有着不同的价值观念，彼此不能等同或取代。如果说，侨乡台山文化是根植台山土壤的话，那么，根的最深处还是长期形成的文化传统的凝聚。

再次，有利于陶冶人的精神情操，促进人的全面发展。促进社会经济的发展，既要着眼于人们实现物质文化生活的需要，又要着眼于人民思想文化素质的提高，促进人的全面发展。人文精神能够改造人的观念，升华人的灵魂，塑造人的形象，支配人的行为。弘扬侨乡台山文化必然唤起台山人民对高尚价值理想的追求，提高人的素质，促进人的全面发展。

惟其如此，《台山历史文化集》不仅是馈赠海内外乡亲和嘉宾时能表达拳拳盛意的珍贵礼品，而且是一部有志于促进侨乡台山发展的人们的应读书。

（中共台山市委书记、市人大常委会主任）

前　言

胡百龙

我到五邑侨乡工作,已经有40多年了。多年来在乡村、城市的生活,在政府部门、学校的工作,使我一直对五邑侨乡文化有一些感触。退下领导岗位这几年,可以有时间进行一些思考,将自己长期的体会进行一番梳理。我们学校几位学者在完成了《台山历史文化集》的书稿后,要我为该书写个前言,我欣然答应。我也想借此机会将自己对侨乡文化的一些感受提出来与大家分享。

1840年鸦片战争以后,中国东南沿海出现了一些具有特殊文化形态的地区,它们与中国传统的乡村产生了区别,这些地区被人们俗称为“侨乡”。

所谓“侨乡”,就是海外华侨华人的故乡,侨眷聚居的地方。这些地方因为向海外移民,形成了很大的内外交往人流,伴随着华侨华人的进出,大量国外的器物、观念以及信仰、制度等文化也传回家乡,开阔了乡村民众的视野,他们直接感受到了外来文化的异、新、奇,外来文化与本土的传统文化发生碰撞、交融,经年历久,这些乡村民众的心理、行为都随之发生了有别于传统的变化,乡土建筑也吸收外来的建筑文化,村落景观多了一些与传统乡村不同的色彩。这一系列的改变,就是一种新的地域文化类型的出现,这就是“侨乡文化”。

促成传统乡村向侨乡转变的,我以为关键是外来文化的影响,是侨乡民众对外来文化的学习、吸收,然后与本土传统文化的融合。因此,侨乡文化也是近代中外文化交流的重要组成部分。

在中国的侨乡文化中,广东、福建的几大侨乡最具有代表性。福建的泉(州)、漳(州)、厦(门)侨乡和广东的潮(州)汕(头)侨乡、梅州侨乡的华侨华人聚居在东南亚,广东五邑侨乡的华侨华人聚居在美国和加拿大。东南亚和美加是华侨华人的两大分布地,而他们的祖籍地也因此发生了很大的变化。这些侨乡所展示的文化现象,理所当然最典型地反映了中国侨乡文化的风貌。

在这些侨乡当中,五邑的台山侨乡又很有特色,被称为“中国第一侨乡”。我想这是有一定道理的。它是一个县级侨乡,海外的人口比在国内的还要多很多,其内外人口比例之高,在广东、福建的几大侨乡中,首屈一指。我在台山生活、工作了10多年,知道台山人和海外有非常特殊的关系，有出洋的传统，至今很多离退休的老人也愿意移民到美国和加拿大。在这里的乡村，到处是中西合璧的建筑，与岭南的环境融为一体，台城镇的骑楼建筑保存完好，民国建筑风格的政府办公大楼和加拿大、美国华侨当年兴建的台山一中校舍风采依旧。台山被称为“小世界语”社会，台山话夹杂着英语成为一种习惯。台山人的钱包装着“万国货币”，侨汇至今是台山人的重要经济来源之一，在历史上曾有台山一县的侨汇收入几乎是全国侨汇的1/3。1949年以前有句俗语流行广东：“四邑侨汇冠全粤”，其中台山的贡献比其他三县的总和还要多。具有“集体家书”之称的侨刊乡讯，是侨乡文化研究的“百科全书”，台山正是侨刊乡讯的发源地，《新宁杂志》就创刊于清朝宣统年间，2009年就是创刊100周年了。在世界移民历史上很有特色的口供纸文物，台山大量保存着，这里是口供纸移民最主要的迁出地区。……总之，台山的侨乡文化资源非常丰富，很多具有指标性的意义，研究中国的侨乡文化一定不能够缺少了台山。

如果我们将视野延伸到它周边的开平、新会和恩平，那么台山侨乡所表现出来的浓浓的中外文化交融的特殊景象，在中国侨乡文化中就更加具有典型性和代表性。

以台山为代表的中国侨乡文化的塑造者，主要是近代广大的乡村民众。他们对外来文化的学习、吸收，表现出与近代各类社会上层人士在沿海沿江城市所进行的实践有很大的不同，因而中国的侨乡文化具有特别的研究价值。

以我所见，似乎现在人们对侨乡文化的关注很不够，研究也很薄弱，这与它具有的学术价值是很不相称的。我们中国的学者理当研究海外华侨华人的历史文化，同时更要研究在我们本土的侨乡文化。研究海外的华侨华人相对于外国的学者来讲，中国学者有很大的局限性，条件没有他们好，不能长期持续地与海外的华侨华人社会接触，这对研究的广度和深度可能都会产生影响。海外的学者在这方面比我们有优势。但是，如果我们去研究华侨华人故乡的状况，研究侨乡文化，这应该是中国学者具有优势的领域。资料的收集，田野的调查，口述历史的记录等等，完全可以扩大我们的研究空间，很多研究课题必然带有鲜活的乡土气息，很多学术见解一定带有新意。这可能是我们与外国同行对话中，最有发言权的内容。

海外华侨华人的历史文化与中国侨乡文化的研究相互结合，共同繁荣，才是完整的华侨华人历史文化研究。缺少了哪个方面，都是不全面的。

2005年我和张国雄博士、梅伟强老师共同商议要开展台山侨乡文化研究，很高兴我们的研究方案得到时任台山市委常委、市委宣传部部长的谭国渠和副部长马福荫同志的大力支持。谭部长表示要积极为这项研究筹集出版经费，很快为我们研究项目的启动提供了帮助。我们便召集学校的研究团队进行了分工,选择台山侨乡文化中最具有代表性的几个方面开展工作，最后形成了这样一个作品。黄伟红常委接任市委宣传部部长后,十分关心和支持本书的出版工作。

在这过程中,旅美华人陈泽洲先生伉俪一直关心、支持我们的工作,给予我们很多鼓励和具体意见。

台山在中国侨乡文化中的特殊地位，决定了台山侨乡文化研究带有认识中国侨乡文化的普遍意义。我想五邑大学这些学者目前的研究虽然很初步，但是很可贵。对台山侨乡文化中最具有特色的部分所进行的挖掘梳理和学术分析，帮助我们看到了侨乡文化内涵的丰富，也更好地理解侨乡与海外华侨华人社会的联系,更全面地认识华侨华人的历史文化。同时,侨乡文化在国内作为区域文化研究的一个新的类型，对台山侨乡的研究也使我们看到了它的光辉前景。

（五邑大学原党委书记）

引　子

1933年，一位年青人以他在南粤大地的亲身经历，写下了一篇著名的散文《机器的诗》，文中有这样一段文字：

“为了去看一个朋友，我做了一次新宁铁路上的旅客。我和三个朋友一路从会城到公益，我们在火车上大约坐了三个钟头。……到了潭江，火车停下来。车轮没有动，外面的景物却开始慢慢地移动了。这不是什么奇迹。这是新宁铁路上一段最美丽的工程。这里没有桥，火车驶上了轮船，就停留在船上，让轮船载着它慢慢地渡过江去。……我看着这一切，我感到了一种诗情。我仿佛读了一首真正的诗。于是一种喜悦的、差不多使我的心颤抖的感情抓住了我。这机器的诗的动人的力量，比任何诗人的作用都大得多。”

新宁铁路火车在公益潭江用船渡载过江情形

创作这篇优美散文的年青人，就是日后蜚声中外的文学巨匠巴金先生。当年的巴金以一个诗人的浪漫情怀生动地描述了他亲眼所见并亲身体验的这条被称之为新宁铁路的美妙与神奇。

“诗应该给人以创造的喜悦，诗应该散布生命。我不是诗人，但是我却相信真正的诗人一定认识机器的力量，机器工作的巧妙，机器运动的优雅，机器制造的完备。机器是创造的，生产的，完美的，有力的。只有机器的诗才能够给人以一种创造的喜悦。

那些工人，那些管理机器、指挥轮船，把千百个人、把许多辆火车载过潭江的工人，当他们站在铁板上面、机器旁边，一面管理机器，一面望着白茫茫的江面，看见轮船慢慢地驶近岸的时候，他们心里的感觉，如果有人能够真实地写下来，一定是一首好诗。”

作家充满激情的文字不能不将我们的思绪带回到20世纪初年的广东台山大地。

1904年，年近60岁的广东台山旅美华侨陈宜禧先生带着一个宏大的理想踏上了生养他的故乡台山，他要在这里实现一个美好的梦想，这个梦想可以说已经在他的心中酝酿了40年。从1863年到1869年，陈宜禧亲眼目睹了美国著名的太平洋铁路的修建，目睹了铁路的修建为美国带来的繁荣与发展。从那时起他就渴望自己的家乡也能铺上铁轨，跑起火车，也能在火车巨轮的带动下，经济起飞、社会进步。转眼之间几十年过去了，陈宜禧终于带着自己的抱负和满腔的热情回到了故乡，他计划大干一场，他下定决心要实现为家乡修建一条铁路的愿望和梦想！

陈宜禧像

功夫不负有心人。新宁铁路从1906年5月开始修筑，至1920年3月完成台城至白沙线，历时14年，建起了长达130多公里的干支线铁路。新宁铁路的建成，推动了沿线地区的迅速发展，使这里出现了一个局部的经济热潮。而且，更难能可贵的是，在当时内忧外患日益加剧，国家与民族权益不断丧失的中国，陈宜禧先生提出了“不用洋人，不招洋股，不借洋债”及“勉图公益，振兴利权”的口号，反映了其强烈的民族自尊心与自信心。也正是因为新宁铁路是以中国人的资金、中国人的技术修建的，因而使之成为中国历史上真正意义上的第一条民营铁路。其伟大意义正如陈宜禧先生所

重立陈宜禧先生铜像揭幕盛况

说的那样:“以中国人之资本,筑中国人之铁路;以中国人之学力,建中国人之工程;以中国人之力量,创中国史之奇功!”(见台山《颍川月刊》2005年第9期,82页)

在当时那么艰苦的历史条件下,陈宜禧先生却以其坚韧与智慧创造了一个奇迹,这不能不令人肃然起敬。虽然这条铁路从开始建造至1938年毁于日本侵华战争的战火,仅存在了30余年的时间,但人们永远不会忘记这条铁路,更不会忘记这条铁路的创建人陈宜禧先生。早在1920年,为了表彰陈宜禧先生的丰功伟绩,新宁铁路董事局就在当时的台城火车站为陈宜禧先生塑造了站立铜像。不幸的是,铜像在1966年8月“文革”期间被砸毁,纪念亭被拆除。1984年9月26日,台山县人民政府为纪念这位爱国爱乡人士,在台城镇台西路口的花坛中央,重新塑造了高180公分,总重量500公斤的陈宜禧先生铜像,并将其安放在纪念石亭中。在亭中的基座正面镌刻着:“陈总理宜禧先生之铜像,为董事局发起捐资建立,以申景仰,并纪功绩”的大楷字样;在陈宜禧铜像基座的云石石壁上则刻着台山县人民政府重立铜像的铭文:

“石可破,不可夺其坚;丹可磨,休欲褪其赤。陈陳宜禧先生刱辦新甯鐵路任總理職兼工程師清光緒三十二年公司成立宣統元年第一段公益至斗山路工告成京部奏獎農工商部四等顧問官晉資政大夫街民國元年第二段新會北街工程告竣三年董事局成立九年第三段白沙枝路竣工總理時年七十有六為之鑄像以留紀念并述本路成績

陈宜禧铜像碑文

宜禧铜像于十年浩劫期间被毁，其爱国爱乡之光辉形象不可灭，为纪念陈公开拓家乡交通之业绩，褒扬其坚忍不拔之奋斗精神，乃重立其铜像。”

在纪念亭上还铭刻了民国时期一些政界官员为陈宜禧先生的题联。如前柱子正面铭刻着当时参议院议长林森的题联：“谋交通便利以卜富强，树业千秋堪铸像；建伟大事功不辞劳苦，游踪四海合留题。”后柱子正面刻着当时广东议会议长林正煊的题联：“通道参政同轨盛；铸金心表绣丝诚。”前柱子背面刻着当时广东省省长杨永泰的题联：“范金功纪范少伯；缩地术逾费长房。”后柱子背面刻着当时该路董事局副总理王清穆的题联：“力借运筹思缔造，功成铸像仰巍峨。”

对陈宜禧先生的赞誉之词实乃名副其实。这位年届古稀的老人,为了国家民族的富强、为了改变家乡的落后面貌,毅然放弃在美国的事业和安定舒适的生活,回到故乡来实现其心中的宏愿。为了这条铁路,陈公可谓是呕心沥血、殚精竭虑,终于使之变成了现实。甚至到了78岁高龄,陈宜禧先生仍然在为家乡构画着美好的蓝图:

> “宜禧今年七十有八矣。夙所抱持之志愿,厥有四端:一拟建筑牛湾火车铁桥;一拟推广阳江支路,此皆关于本路前途者也。一拟筹建台山全邑水力电站;一拟开拓台山汤湖、热水湖为大浴场,此皆关于地方公共利益者也。四者之目的既达,宜禧之志愿斯慰。至于循序进行,惟力是视。尚望股东诸君暨各界明达,匡期不逮,俾底于成,庶宜禧克偿志愿,而释仔肩,拜赐多矣。宜禧附志。”

(引自1922年第8期《胥山月刊》)

可见其志向何等宏大,其精神何等可佳!今天,新宁铁路虽已不复存在,但陈宜禧先生的精神长存,这笔宝贵的精神财富,将永远激励后人为了国家民族的富强而努力奋斗,不断进取。

一、新宁铁路建造的历史背景

(一)19世纪末、20世纪初叶的中国

19世纪末20世纪初,封建腐朽的清政府统治下的中国更加积贫积弱,满目疮痍。而这时的西方主要资本主义国家则从19世纪70年代至90年代,相继从自由竞争阶段向垄断阶段过渡,各国之间瓜分殖民地的斗争愈演愈烈。地域辽阔,国力衰弱,且尚未被瓜分的半殖民地的中国,更是他们争夺的主要目标。1894年～1895年日本发动了侵略中国的中日甲午战争,战败的清政府被迫同日本签订了丧权辱国的《马关条约》,中国半殖民地化的程度大大加深。甲午战争后,西方帝国主义列强相继投入瓜分中国的激烈争夺,中华民族面临空前严重的民族危机。1900年,俄、英、美、日、德、法、意、奥等八个帝国主义国家组成八国联军,向中国再一次发动了侵略战争。1901年9月,清政府又被迫同帝国主义列强签订了《辛丑条约》。这一屈辱的卖国条约是帝国主义强加在中国人民身上的沉重枷锁,给中华民族带来了巨大的灾难。巨额的战争赔款,使中国经济进一步陷于崩溃境地。各国在华驻军,进一步强化了帝国

主义对中国的控制。而腐朽的清政府则沦为“洋人的朝廷”，成为帝国主义列强统治中国人民的工具。这标志着中国半殖民地半封建社会的完全形成。

伴随着帝国主义列强侵略中国活动的加剧，从19世纪末期，帝国主义列强掀起了一场掠夺中国铁路利权的狂潮。攫夺铁路权，不仅可以对华输出资本，而且是扩大政治、军事侵略的工具。日本《朝日新闻》曾毫不隐讳地说：“铁路所布，即权力所及。凡其地之兵权、商权、矿权、交通权，左之右之，存之亡之，操纵于铁路两轨，莫敢谁何！故夫铁道者，犹人之血管机关也，死生存亡系之。有铁路权，即有一切权；有一切权，则凡其地方官吏，皆吾颐使之奴，其地人民，皆我俎上之肉。”（宓汝成：《中国近代铁路史资料》第二册，第684页）可见列强把夺取路权看作是“不劳兵而人国”的绝妙手段。在这一方面，帝国主义除直接投资外，还进行间接投资。从1901年至1911年10年间，帝国主义对中国进行的20次主要的铁路借款，总额就达4亿3千6百多万元，使中国的铁路绝大部分落入到了帝国主义手中。到1911年，中国共有铁路9618公里，其中东清、南满、胶济、滇越等为帝国主义直接经营的且具有殖民地性质的铁路，总长达3759公里；京汉、津浦等由于借款而为外国所控制的铁路，总长达5192公里。而中国自主的铁路只有665公里，仅占中国全部铁路的6.9%。帝国主义夺取中国路权，不仅攫取了高额利润，而且严重破坏了中国主权，大大加深了对中国的控制。

针对帝国主义对中国铁路、矿山主权的疯狂掠夺和清政府大肆出卖国家主权的行径，中国各阶层人民掀起了反帝爱国的收回利权运动。这一运动从1903年开始逐渐展开，1905年后进入高潮。如1903年当四川人民获悉清政府拟将川汉铁路权出卖给英国时，就立刻起来进行抵制。接着，湖北、湖南、广东等省人民纷纷成立组织，要求清政府废除它同美国合兴公司订立的合同，把铁路收回自办。从这时始，所有被帝国主义掠夺铁路、矿山主权的有关省份都相继掀起了蓬蓬勃勃的收回利权运动。自筹自办铁路，成了激励人心的爱国行动。

20世纪初年，以那拉氏为首的清政府迫于内外压力，以推行“新政”的名义，陆续实行了一些旨在讨好帝国主义和稳定清朝反动统治的“改革”措施。其中在经济方面1903年8月设立了主管工矿业和铁路的商部（3年后改称农工商部），同时还制订和颁布了一些关于商务和奖励实业的章程。“鼓励”各省商民设立铁路公司，以兴商务。在《光绪二十九年九月上谕》中，令各省督抚“通饬所属文武各官及局卡委员，一律认真恤商，持平办理，力除留难延搁各项积弊，以顺商情而维财政”。这些措施，在客观上对民族资本企业的发展提供了一定的有利条件。

从以上内容可见，新宁铁路的出现决非偶然，它是在当时中国大的历史背景下诞生的。20世纪初国内出现的争回路权运动，成为新宁铁路诞生的催化剂，而清政府所谓“新政”的推行则为这条民营铁路的出现提供了必要的条件。但仅此还不够，新宁铁路之所以能在广东台山出现，还与当地侨乡社会的形成与发展密不可分。正是由于台山侨乡社会的发展为新宁铁路的兴建孕育了必要的经济条件和迫切的社会需求。

（二）台山侨乡的形成

台山，地处广东省珠江三角洲的南部，东北与新会接壤，西北与开平相邻，西南与恩平、阳江交界，东南隔崖门海口与斗门县、珠海市相望，南临南海。是一个拥有海洋风光的县级市。

在明代之前，台山隶属广东布政司广州府新会县。明弘治十二年（1499年）二月正式建县，定名为新宁县。到民国时期，因湖南、广西、四川等省都有“新宁”县，为避混淆，遂于民国三年（1914年）根据县城之北三台山之名，更名为“台山县”。1953年台山与赤溪重新合并统称台山。如今台山下辖27个乡镇，总面积3286平方公里，是江门五邑地区面积最大的一个县级市。

台山是我国著名侨乡，据统计，目前旅居海外及港澳台地区的台山籍乡亲就有130多万人，分布在世界五大洲80多个国家和地区。因而台山有“中国第一侨乡”之称。又因为在海外的台山人，以侨居美国、加拿大的人数最多，约有60多万人，所以台山又被称为“美洲华侨之乡”和“金山客之乡”。

台山人移民海外的地区是以南洋为较早，美洲和其他地区稍晚。据广海《山背乡志》记载，早在清乾隆三十九年（公元1774年），就有台山人出南洋谋生。但在19世纪中叶以前，台山出洋的人数并不太多。到了19世纪中叶，由于西方殖民者不得不放弃奴隶贸易，导致南美洲种植园出现了严重的劳工短缺，加之美国加州和加拿大出现的淘金热，以及美国大陆铁路和加拿大铁路的修建等，都迫切需要大量的廉价劳工。于是西方殖民者将目光转向了人口众多又相当贫困落后的中国。他们利用鸦片战争后在中国沿海设立的通商口岸，将大量华人贩运到美洲。在这次南中国的海外移民浪潮中，台山是重点地区之一。当时台山的许多青壮年农民或因为生计赴海外谋生，或在械斗中被俘后卖往澳门、香港的猪仔馆，再被转送到太平洋彼岸做苦工，或因参加“三点会”被迫逃往海外，或为了“淘金梦”，或被欺骗掳掠出洋等等，大量移民到美洲地区。据在美国台山人单独成立的“宁阳会馆”（1854 年成立）于 1870 年所做的入会登记，前来登记的台山人达 7.5 万人，加上未登记的，估计有 8 万多人，约占当时美国华人总数的一半。随后美国出现排华逆流，严格限制华工入境，台山华侨数一度有所减少。但是到 1901 年，台山旅美华人已达 12 万人。如果再加上当时旅居美洲其他国家和东南亚地区的台山华侨总人数估计已达 20 万之众。

伴随着 19 世纪中期以来大规模的移民潮，到 19 世纪末期，台山地区已不同于广东一般地区而具有侨乡特色了，海外华人对家乡的影响力日益显现出来。当时海外华人对台山最主要的影响表现为侨汇或侨资成为维持和发展当地经济的重要支柱。经过几十年的辛勤劳动和积累，海外华人在经济上逐渐有了一些积蓄。对于广大的海外华人来说，当时能够“衣锦还乡”是他们最大的理想和愿望。因此在有了一定的经济实力后“自同治以来，出洋之人日多获资回华，营造屋宇，焕然一新”（李道平：《宁阳存牍》，光绪二十四年[1899]，第 65 页）。侨汇的大量涌入，提高了当地人的生活水平，使台山地区在经济、文化上呈现出某种繁荣景象，同时，台山在经济上对海外的依赖也不断扩大。

有些在海外勤劳致富的台山华人，还纷纷回国投资商业和一些工矿企业。到19世纪末，台山海外华人在香港、澳门、广州、江门等地投资经营的工商业已不下数百家。台山海外华人所具有的经济力量，使新宁铁

华美的侨乡建筑

路的资本来源有了现实的可能性。

随着台山侨乡社会的形成与发展，海外华人迫切要求改善家乡落后的交通状况。长期以来，台山的交通相当闭塞，十分不便。这是由于台山地区山脉连绵，山峦阻隔，所以南北居民不相往来，商贾亦鲜交往。《新宁杂志》1913 年第 12 期上这样记述台山地区：“咸同以前，最为闭塞，是鄙陋之县。盖交通不便，人皆闭关自守，南北界限有如鸿沟。出产之物，只在产地经销，非产地者，不但无其物，且不谙其名。编枯之弊，殆天地所以介别区域者。”据钟治在《新宁地理》（《新宁杂志》第 31 期，第 3 页，1913 年）上讲：“吾邑山岳横亘，河流短浅，交通之便，全赖乎道路。”可是直到 19 世纪末，台山仍未修建一条公路，“载则用手车，行旅则用肩舆”。当时“阳江人之在我邑以肩舆为业者，迨逾数千计”。交通的落后状况，对台山人出洋或海外华人回乡探亲带来了许多不便。当时台山人出洋，一般要先长途步行跋涉或乘人力轿到县城，距县城偏远的地方，往往要走一两天的路程，既辛苦费时，又不太安全。到了县城后再坐船到江门，从江门坐船经广州到香港、澳门等地出国。海外归来者更为不便，因为海外华人归乡往往要带大量的物品，尤其是笨重的金山箱携带非常不便，因此深感交通不便。台山海外华人长期生活在西方资本主义国家，对西方先进快捷的铁路、公路和航运交通有切身的经历和感受。他们认为发展现代化的交通运输事业，是促进家乡经济繁荣、社会进步的基础，是加强家乡与海外联系的重要条件。尤其是一些在美国、加拿大参加过修建铁路的华人，更觉得改变家乡交通落后状况刻不容缓。

交通的不便还影响了粮食等物品的输入。19 世纪末台山的农业和手工业均处于一种衰退的状态。粮食不能自给，全县粮食“仅支半年，余日则仰给洋米，倘舟楫偶断，炊烟立断”（《新宁县志》光绪十九年本，卷8）。当时的台山，粮食及一些手工业制品均需从外地输入，以补不足。但落后的交通状况严重制约了各种物品的输入，因此，要求改变台山交通状况的呼声日益强烈。1892 年至 1893 年，邑人曾商议修筑由县城直达广海的铁轨火车路，但未能实现。1902 年“邑绅倡修紫霞马路直通冲蒌，行人称便，惟不能引重致远，货物往来依然梗塞”。如何解决台山交通问题，自然就提上了日程。

从以上内容可以看出，19 世纪末台山侨乡的形成，是孕育新宁铁路的最重要因素。侨乡的发展不仅有了修建铁路的迫切需求，而且台山海外华人经济实力的上升，也使得建造这条民营铁路最重要的资金问题能够初步得到解决。

二、旅美侨领陈宜禧

新宁铁路是我国第一条用中国人的资金、中国人的技术修筑的民营铁路，因此，建造新宁铁路不仅是江门五邑侨乡历史上的一件大事，也是中国铁路史上的一件大事。关于新宁铁路，我们首先要从其创建人——台山旅美爱国华侨陈宜禧先生谈起。

陈宜禧先生字畅庭。据陈宜禧家谱记载，清道光二十五年十一月十六日，即 1845 年 12 月 14 日出生于新宁县矬峒都六村宁美堡朗美村（今台山市斗山镇秀墩村委会美塘村）一户贫苦农民的家庭。

陈宜禧先生少年生活的故乡六村，在清康熙年间，出了一位著名的学问家，即陈白沙学说的继承者，广东第一名举人陈遇夫，他的儿子陈瀚，亦为广东解元。在清嘉庆年间，又出了进士陈司爟、举人陈司炳。20 世纪，著名实业家、广州爱群大厦修建者陈卓平，中国民航事业奠基人陈卓林等著名人物也诞生在这块人杰地灵的土地上。少年在这里度过的陈宜禧先生受到中国传统民族文化的滋养与影响，中国文化的根已深深地扎在他的心中，因此，不管他将来走到哪里，都不会忘记这

陈宜禧故居

块生他养他的土地，不会忘记自己的祖国和故乡。

陈宜禧幼年时不幸双亲故去，由本村乡亲收养。童年时期的陈宜禧除了替人看牛，还随养父母种地。到了14岁，他又跟随继父挑货郎担（台山人称“鼓杠”）穿街过巷，以卖针头线脑、茶仔、灯芯等小商品为生。一天，在村边卖货的陈宜禧，被一顽童故意踢翻了货担，他却毫无怒言，也不争执，只是默默地收拾起散落在地上的货物重新摆卖。这一情景正好被当时六村乡中礼村一位旅美回乡的基督教徒陈宜道看到，他赞赏陈宜禧的宽宏容忍，认为孺子可教，便和陈宜禧攀谈起来，询问陈宜禧是否愿意赴美国谋生，并愿意资助赴美路费。当时的新宁县人民，不但在政治上饱受清朝封建统治的残酷压迫，经济上也饱受剥削，加之天灾不断，四野荒芜，农村凋敝，农民生活极其困苦。因此，新宁县农民迫于经济压力已有不少人相继背井离乡，出国谋生。在此情况下，未满15岁的陈宜禧征得了养父母的同意后，于1860年6月跟随陈宜道像当时绝大多数的台山海外移民一样，怀着谋求生活出路的目的来到了美国西海岸。

初到美国，陈宜禧因年少体弱，不能像其他华工一样从事繁重的体力劳动，于是就在西雅图一位美国工程师家中做杂工，陈宜禧不仅踏实能干，老实忠厚，而且聪明伶俐，把家料理的井井有条，因而深得工程师所赏识，工程师夫人在业余时间教他学习英文，工程师则指点他学习铁路技术，并送他进铁路学校读书。由于陈宜禧勤奋好学，进步很快。1865年他20岁时，参加了修筑美国中央太平洋铁路的工作，逐步从杂工升为技术工、管工。他工作认真负责，得到铁路总办的信赖，又被委以招雇华工的职务。后来他还担任了工程师的助手。陈宜禧在美国参与铁路工程长达40年，获得了丰富的经验。这一时期的工作经历，为他以后创建新宁铁路奠定了坚实的基础。

美国中央太平洋铁路完工后，陈宜禧手头有了一定的经济积累，他作为合伙人，加入族叔陈程学在西雅图开设的华昌（Wa Chong Co.）公司。这是西雅图第一间华人开办的商号，它除了经营商业，如从三藩市买进蜡烛、肥皂、饮料和油等杂货经销，办理与香港之间的进出口业务外，更主要的任务是充当劳工经纪。1888年，43 岁的陈宜禧离开了华昌公司，在西雅图市华盛顿街 208～210 号建筑了一幢三层楼，开办了广德公司（Quong Tuck Company），一方面继续从事劳工经纪业务，主要为北太平洋铁路工程介绍劳工，同时承包了西雅图市电缆车和商业区建筑工程，有些建筑一直保留至今。

陈宜禧非常热心侨胞工作。当时华侨初到美国欲

当年陈宜禧在美国西雅图开办的广德公司

求工作栖身，并非易事。陈宜禧尽其所能，热心帮助解决。更为可贵的是，在美国掀起排华风潮期间，他挺身而出，全力维护华人利益。19 世纪 80 年代，美国掀起了排华风潮，制造了一系列血腥事件，在西雅图的华人也未能幸免。据《总理各国事务衙门过录清档》第 273 册记载："1885 年 9 月 11 日，有洋人多名，突至该地（狄马哥，在华盛顿属邦界内，与西雅图相距 20 余公里路），尽将华人住屋一概焚毁，衣物付之一炬，当场用枪打死华人三名，重伤三名，轻伤一名，共损失四千零五十四元八角八仙……"（朱士嘉：《美国迫害华工史料》，上海中华书局，1958 年 12 月，第 82 页）在陈宜禧的私人记录中，发生在西雅图的排华事件就有 9 起，发生在西雅图以外的有 25 起。对于这一系列排华事件，陈宜禧极为愤慨，勇敢地站出来在本地法庭提出上诉。1886 年，他又联合当地有名的美国律师柏克（Thomas Burke），抗议美国工党驱逐西雅图华人，连同 1885 年狄马哥事件，被列为"华裔陈宜禧专案"。在陈宜禧的强烈要求下，清政府不得不派出公使与美国交涉，结果赢得了斗争的胜利，获得了 27 万余美元的赔款，大长了华人的志气。陈宜禧把赔款如数分给受害者，自己在与美国政府的数年交涉中花了几千美元，华人商会公议补回，但他却分文不取。还有一次，曾有暴徒威胁华工，声言要驱赶他们下海时，陈宜禧挺身而出，及时向当局提出交涉，致使暴徒阴谋难以得逞。在与美国排华恶势力抗争的过程中，陈宜禧不畏强暴，勇敢的站在前面，团结组织华人进行抗争，他的这种无私、正义、英勇的行为，受到了广大侨胞的钦佩与爱戴。1896～1897年，西雅图华商曾希望在西雅图设立中国领事馆，并竭力推荐陈宜禧为领事候选人。此事虽未办成，但从中可以看到在19世纪末，陈宜禧在西雅图华人社会中的极高威信，他当时实际上已成为西雅图华人领袖之一。后来，他被西雅图商会公举为终身名誉董事。这为他日后倡议集股筑路，打下了良好的基础。

三、建造新宁铁路的艰难历程

20世纪初叶，中国已由一个封建社会，完全沦为半殖民地半封建社会。面对被瓜分、被奴役的悲惨境地，为了挽救民族危亡，多少仁人志士挺身而出奋起进行抗争。当时，全国性的反帝爱国运动不断爆发，如为了抵抗列强掠夺中国利权，从1903年起，全国各地爆发了收回矿山、铁路权利的爱国运动。为了抗议美国通过新的排华法案，胁迫清政府续订排华苛约，1905年，又爆发了全国规模的、以抵制美货为重点的反对美帝国主义的爱国运动。当时，全国许多大中小城市以至穷乡僻壤，都涌现出了反美爱国运动的团体，开展抵制美货运动。工人、店员、城市贫民、学生、妇女等各阶层人士积极响应。甚至南洋、日本、美洲、欧洲各地许多华侨也宣布不用美货，或捐款支持国内人民斗争，形成了一个广泛的群众性反美爱国运动。深受美国种族主义迫害的美国华人也迅速响应并投身到这场反美斗争中去。作为海外华人，他们更希望祖国富强，更希望中国能够屹立于世界民族之林。但怎样才能尽快促使中国崛起，对于亲身体验、亲眼目睹了西方资本主义发展的海外华人来说，他们深感实业的落后，是中国积贫积弱的重要原因之一，因此，希望通过大力发展实业来繁荣祖国、振兴中华。陈宜禧先生就是这样一位怀抱着实业救国梦想的爱国爱乡的著名侨胞。他虽身居异国，但和众多华侨一样心怀故乡，希望为改变家乡贫困落后的面貌尽一份力量。

（一）倡办铁路，募集资金

带着满腔热忱，带着改造家乡振兴中华的强烈愿望，1904 年，已年届 60 的陈宜禧毅然放弃了美国的事业，义无反顾地返回了阔别多年的故乡台山。最初，他曾设想先回国发展纺织业，把外国先进的纺织技术引入中国，开东方新型织造业之先河。为此，他选派了陈宏驹等 4 位侨胞到纺织厂学习技术，待其学成后，到香港创办“德和”织造公司。但他的这一设想很快转变为回乡修筑铁路。这一转变，可以说主要是由两方面的原因引起的。

一方面，当他看到帝国主义在中国大肆掠夺铁路权利，极为愤慨：“自光绪三十一年回国，愤尔时吾国路权，多握外人之手，乃不忖棉薄，倡筑宁路。”（《陈宜禧敬告新宁铁路股东暨各界诸君书》）对于当时国内爆发的收回路权运动，陈宜禧得知后，很受感动，声言：“洋人说我们愚笨，不懂筑铁路，我就是不服气，美国西部的铁路，哪一条不是我们华工筑的！待我回国筑条铁路给他们看看。”陈宜禧对依赖洋人修筑铁路，利权外溢，引为耻辱。他曾对人说：“我们辛辛苦苦在外国替洋人筑路，洋人大受其益；今天我国要洋人在我国内筑路，又是洋人大受其益，实在太不公平。”可见，当时中国铁路权益的丧失及收回路权运动的开展，是促使陈宜禧决定回乡修建新宁铁路的重要原因之一。另一方面的原因，正如前文所讲的，随着台山侨乡社会的形成与发展，人们要求改变台山落后的交通状况、促进经济发展的愿望更为迫切，而身在美国的陈宜禧又亲眼目睹了美国横贯东西的大铁路筑成后，为当地所带来的繁荣和发展。对比交通闭塞、贫穷落后的家乡，陈宜禧迫切地感到，要推动家乡经济的发展，必须从改善交通入手。关于陈宜禧回乡筑路的思想，在他后来因筑路资金严重不足，递呈粤督张鸣岐请求批准向外国银行借款的禀文中，也可看到。禀文写道：“职商旅居美洲四十余年。窃见欧美列邦铁路纵横如织，轨若布网之蛛，车如衔尾之鹊。故其商业日盛，国势日强。职商有感于斯，眷怀祖国，深知铁路之权利至溥，转输交通最便。是以创议集资办路……”（转引自《台山文史》第九辑；陈宜禧与新宁铁路）新宁建县400多年来，历代有识之士都认为制约台山经济发展的重要因素是交通的不便。

陈宜禧回国筑路的爱国爱乡之举，得到了不少华侨的积极支持，但也遭到一些人的嘲讽质疑。据说他的一位任香港东华医院总理兼粤汉铁路顾问的同乡族叔就曾嘲笑他不自量力，声言：“你能修成铁路，我决不坐你的车。”一些外国人也讥讽说：“中国人只晓担泥，哪晓筑路。”但陈宜禧主意已定，他相信只要意志坚韧，不屈不挠，就一定能够干出一番惊天动地的事业。

1904 年 2 月，陈宜禧回到故乡，倡议修筑新宁铁路。当时他虽已年届高龄，但不辞劳苦，亲自登山涉水，到各处进行勘测、调查。当年 6 月，陈宜禧邀集地方乡绅，成立了修筑新宁铁路筹备处，绅士们公推陈宜禧为总办，推举曾到国外考察铁路的新宁县绅士余灼（台山附城桂水人）为协理。由余灼执笔，草拟了《倡建宁城、新昌、冲蒌、三夹铁路小引》、《修筑新宁铁路估工清单》和《筹办新宁铁路有限公司草定章程》等文件。这些文件阐述了修筑新宁铁路的意义、线路走向、筹款办法等，标志着修筑新宁铁路的倡议终于酝酿成熟。关于筹款办法，在《小引》中明确申明集股办法是依靠“旅美、旅港各埠绅商暨在宁之殷富，有财力者集股以成之”。并实行“自筹自办，利权不致外溢。”在《公司章程》中则明确规定，新宁铁路“不收洋股，不借洋款，工程由本县人自办（即不用洋人）。”这一规定，是中国铁路史上的创举，在当时半殖民地半封建的旧中国，充分表现了爱国华侨维护国家、民族利益的意志和决心。

1904 年 9 月，陈宜禧带着兴建新宁铁路的倡议文件前往香港，争取台山旅港同乡的支持。台山旅港乡亲于华安会所举行了三次会议，会上众人对于筑路工程“绝不聘用外国人”的主张，都极力赞成。对于陈宜禧提出的振奋人心的招股口号：“以中国人之资本，筑中国人之铁路；以中国人之学力，建中国人之工程；以中国人之力量，创中国史之奇迹！”极为称赞，大家认为“以中国人之资本，筑中国人之铁路已为所难；以中国人之学力，建中国人之工程，尤为中国历史上之特色也。”三次会议后，陆续便有 50 多家商号带头认股，其中认股达万元以上的有陈宜禧、黄福基、陈天中、曾麟云等人。台山旅港同乡与美国华侨关系密切，他们对兴建新宁铁路的积极态度，对美国华侨产生很大的影响。

1905 年初，陈宜禧又前往美国三藩市、西雅图，加拿大温哥华、维多利亚等地进行集股宣传活动。他依靠美国旧金山宁阳会馆的支持，通过在旧金山的《中西日报》等侨报刊登消息、广告和发表演说等方式，向广大华侨宣传修筑新宁铁路的计划。尤其是他在发表演说时提出的“勉图公益，振兴利权”等口号，大大激发了华侨爱国爱乡的热情，“一经演说，而附股者纷至沓来，不数日已收到股银数十万元矣”。

陈宜禧为建新宁铁路的初期筹款活动取得了巨大的成功。到1905年8月他离美回国时，已集股银150余万元。与此同时，在新加坡、香港、新宁县等地的筹款活动也进展顺利。截止1905年年底，已集股银2758412元，超出原计划的4倍。一时，省港及美国的华文报纸莫不加以评论，如《中西日报》1905年2月17日刊登文章“本报论说”，赞扬新宁的绅商“能合群、能图公益、能挽回一邑之权利”。

初期筹款的成功，初步解决了修建新宁铁路至为关键的资金问题，实在是鼓舞人心之事。筹款活动之所

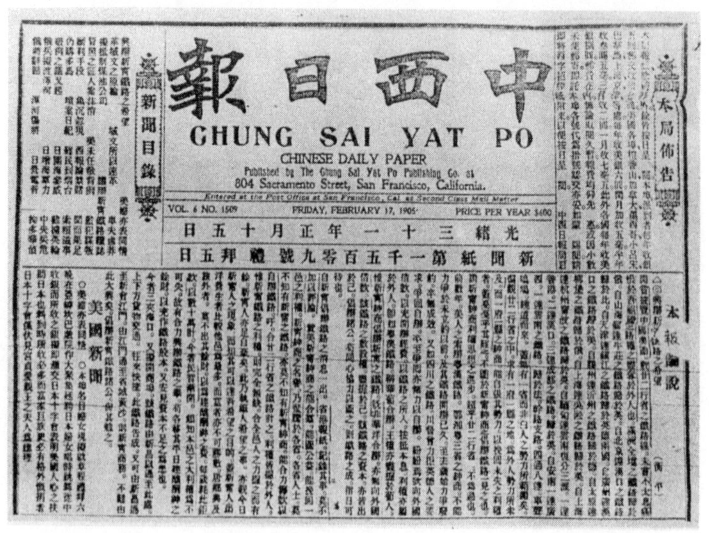
中西日報

GHUNG SAI YAT PO

CHINESE DAILY PAPER

Published by The Ghung Sai Yat Po Publishing Co. at
804 Sacramento Street, San Francisco, California.

VOL. 6 NO. 1509　FRIDAY, FEBRUARY 17, 1905　PRICE PER YEAR $4.00

光緒三十一年正月十五日

新聞紙第一千五百零九號禮拜五日

新聞目錄

本局佈告

本報論說

美國新聞

《中西日报》刊发“本报论说·兴办新宁铁路之希望”

以能够取得巨大成功，首先归因于广大华侨、旅港乡亲的拳拳爱国爱乡之心。广大海外华侨无不热切地盼望着祖国、家乡的繁荣与富强，此时能为家乡的发展尽一份力量，是他们共同的心声和愿望。其次，归因于台山海外华人经过多年的努力与奋斗，已积聚了一定的经济力量，从而使修建铁路的资金来源有了现实的可能性。第三，归因于陈宜禧富有成效的宣传发动工作。当时，陈宜禧利用美国铁路公司发给他的免费乘车证，到各大城市侨胞中进行演讲，他除了提出一些极富号召力的招股口号之外，还用非常通俗的语言进行发动，如他曾对侨胞们讲："如果新宁无条铁路，就算你在金山捞到满盘满钵，亦勿能够多带一个金山箱返唐山，你又讲乜叻？"（金山箱是当时美国流行的一种大贮物箱，四角镶铁。贮满衣物后，非三、四人不能搬运。当时台山交通艰阻，华侨回乡难以携带，但不少人对之醉心，以多带为荣。"叻"，广东方言，有能力的意思。"唐山"喻中国。）第四，归因于陈宜禧个人的威望及其示范作用。陈宜禧是侨胞们十分爱戴的一位长者，在侨胞中享有很高的威信。因此，他的号召会得到大家的积极响应，尤其是他变卖了在美国自己名下的价值7万美元的洋楼，并把这笔钱作为第一笔股金投入进来，使得侨胞们深受感动，纷纷慷慨解囊。

据1906年2月10日《中西日报》登载的“新宁铁路公司收到光绪股份”一文的内容，在新宁铁路初期筹集的2758412元的经费中，有1908800元为美国华人的直接投资，占69%，其余的70多万由东南亚、加拿大、澳洲华人和香港、澳门、台山一带的商民投集。显然，新宁铁路初期的资金主要来自海外华人，而且主要是台山籍的美国华人。与当时其他商办铁路在募集资金时，往往带有强迫性的封建捐输不同，新宁铁路的资金来源全部是商、民自愿认股，是以海外华人资本为主的纯粹的民族资本，代表了民族资本进步的一面。所以，无论是从政治还是经济的角度来看，陈宜禧的集股活动都是相当成功的。尽管也还存在着这样那样的问题，但从历史的角度看，新宁铁路资本的出现，象征着以海外华人资本为主的民族资本向西方列强的勇敢挑战，表现了他们在振兴民族的关键时刻挺身而出的爱国精神，正如1905年7月10日的《中西日报》评论所言：“闲尝被览中国舆图，数廿二行省之铁路线，未尝不太息痛恨于吾祖国之路权之尽夺于外人也……惟新宁绅商倡办新宁之铁路，既非华洋合办，亦无向外国借款，该铁路之敷设权，尽握于己，该铁路之资本，亦皆出于己。”可见当时准备以华人资本为主兴建的新宁铁路不仅在台山，而且在海外华人社会中亦受到了极大的关注与好评。

（二）拟定章程，奏请立案

铁路资本问题的初步解决，并不意味着马上就可以付诸实施，还需要拟定出详细的章程并经清政府正式批准后方可动工修建。但这一过程并不顺利，陈宜禧经过了大约一年的努力方才得以实现。

1904年，陈宜禧回国后，为倡议修建铁路会同余灼起草了《筹办新宁铁路有限公司草定章程》和《修筑新宁铁路估工清单》。陈宜禧等人一方面在海内外开展集股活动，另一方面则在国内向清政府奏请立案。1905年4月，余灼会同新宁县举人黄毓堂等，将陈宜禧等人筹办新宁铁路的宗旨及经过，具文禀请新宁县知县陈益转奏商部立案，但陈益却另拟了一份章程作为“县官倡办”上报两广总督岑春煊，企图将筹建新宁铁路的大权据为己有。只因为陈益拟立的章程太简单，两广总督批复不能咨商部立案。紧接着又有一位在籍绅士、广东商务局提调余乾耀（台山荻海人，举人，曾三次赴日本考察）草拟了《宁阳铁路有限公司详细章程》22条，抢先上报商部立案（宁阳是台山的美称，新宁铁路又名宁阳铁路）。他为达到其卑鄙目的，甚至诬告陈宜禧“不照商律办事，不候督宪批准，妄自集议，未能胜任总办之责”。

陈宜禧先生真像

1905年8月，陈宜禧从美国招股返回新宁，即为此事上省禀报，据理与余乾耀力争。虽然陈宜禧为了方便筑路“捐”（买的代名词）了一个正三品“盐运使”的官职，但为虚职，并无实权，加之他长期旅居海外，对当时国内官场之腐败、等级之森严缺乏了解，因此处处碰壁，他后来回忆这段经历时说：“以海外初归之身，声明不足动人，周旋又未能中节，脚靴手板，学官样而未工，屈膝折腰步时趋而多拙”，所以只能在衙门“徘徊帘外，静候传宣，乃鹄立移时，挥汗如雨，迟迟致久，消息杳然，旋闻帘内呼喝声，催开点心声，延线不绝，传闻耳鼓”，他这时真是“欲骂则无声，欲哭则无泪，唯有哑忍咨差……”（《新宁杂志》1911年第18、19、20期）

尽管这次禀请毫无结果，但脾气倔强的陈宜禧不达目的誓不罢休。为了寻找对策，他再次来到了香港。这时正是那拉氏搞“预备立宪”骗局，推行所谓“新政”时期，光绪二十九年（1903年）九月，设立商部后，“鼓励”各省商民设立铁路公司，以兴商务。为了拉拢当时渐露头角的民族资产阶级，清廷还颁布了“华商办理实业爵赏章程”，派商部右丞王清穆南下广东考察商务。陈宜禧抓住时机向王清穆申诉。王清穆经过一番调查，致函商部，表示支持陈宜禧筹办新宁铁路，以使“股商之情以聚，邑商之气益壮”。

1905年11月，陈宜禧邀集县内股东和绅商在新宁县学明伦堂召开联席会议。新宁县新任知县倪祖培与清乡委员等应邀列席。会上，陈宜禧逐条驳斥余乾耀所定章程，余在大家的一致声讨下，灰溜溜的自行告退。这次会议做出了两项重大决定：（一）悉照金山各埠附股华侨来函，一致公推陈宜禧为宁阳铁路公司总理兼总工程师，余灼为副经理。（二）仿照潮汕铁路章程，重新修订《宁阳铁路公司章程》（21条），同时拟订了《宁阳铁路公司权限章程七条》和《宁阳铁路公司开办善后章程十条》。

这次联席会议结束后，陈宜禧和余灼即把新宁铁路各章程上报两广总督岑春煊，再由他咨报商部。岑春煊始以“无碍田园庐墓始得筑路”，继之以“应由领有外洋毕业文凭之人妥为办理”为由进行阻挠。陈宜禧据理力争，声明自己“在金山各埠承办铁路工程四十年，领有造路工凭照。”随后，他又携带有关章程前往上海，谒见王清穆，请商部核定准予立案。

商部在接到他的请求后，即奏请慈禧太后准予立案。此奏折颇能反映当时清廷部分官吏的思想，也说明了批准立案的曲折。奏折先叙述该部按署右丞王清穆函，讲他在广东视察商业时，曾接见陈宜禧，陈以筑铁路向他请求帮助立案。声明筑路不收洋股，不借洋债，不雇洋工，以免权利外溢。他认为陈宜禧“人甚朴诚，家道殷实”。“在美国金山各埠承办铁路先后四十余年，于筑路情形较有把握。默念路权所至，为国家富强之枢，即为地方根本之计，该职商两年以来，奔走勤勉……忠爱之忱，溢于言表……应请奏明立案，以便克日开办。”当时，旅美华侨还争得了清朝钦差、出使美国大臣梁诚的支持。因此，商部在奏折中还写道：“臣等正在核办，又接出使美国大臣梁诚电称：陈宜禧筹办新宁铁路，苦心经营，募集巨款，确有把握，应责成专办。”商部最后提出意见说：“该职商陈宜禧之诚信远孚，资本的实，与臣部署右丞王清穆函称各节相符，当经臣等与两广督臣岑春煊函电相商旋准，该督臣电称此路由华商自办，以本邑之资财办本邑之铁路，自属可行，……臣等伏查该职商陈宜禧，请办新宁铁路，非但不借洋款，不招洋股，且能不用洋工，自行修筑，洵足创开风气，保全利权，于路政商务均有裨益，合无仰恳天恩俯准立案，以重路务，恭候命下，当由臣等将原订章程详加核定，饬令迅速勘办。一面咨行两广督臣，饬于路线所经之处，由该管地方官切实保护，并出示劝导乡民俾无阻挠，庶几易于施工，俟全路工竣，应请照章奏请奖励，以资观感，至所称事竣核计余款，续招新股再议接展一节，应届时再由臣部察看情形奏明办理。”

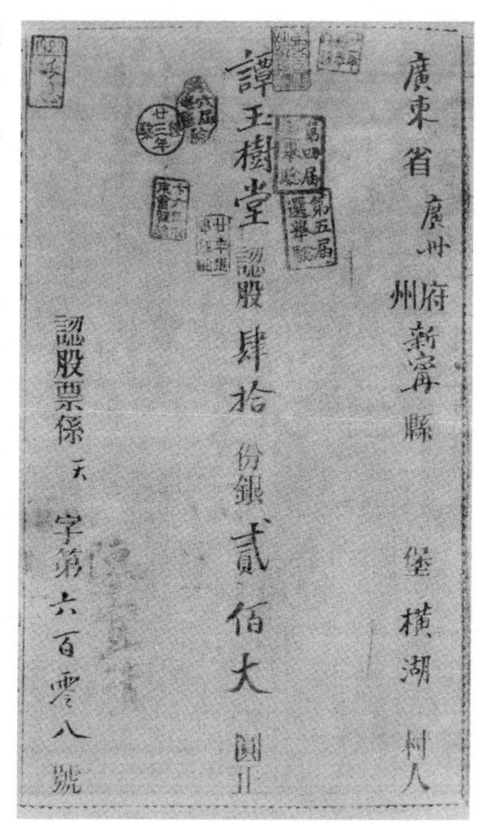
廣東省 廣州府 新寧縣 堡 橫湖 村人
譚玉樹堂 認股 肆拾 份銀 貳佰大 圓正
認股票係 天 字第六百零八號

新宁铁路股份簿

商部的上奏很快得到了慈禧太后和光绪帝的批

示:“依议,钦此。”光绪三十二年(1906年2月24日,商部奏准先行立案。同年4月25日,商部又奏核订《新宁铁路章程》21条,其中关于修筑铁路的路线,根据陈宜禧的禀请,做了改动,即干线由新昌经新宁县城、冲蒌、斗山等处至三夹海止;支线由水步墟至公益埠。

《新宁铁路章程》全文如下:

第一条　公司承办新宁铁路原议自新昌至三夹海止,约计华里九十余里。今勘明路线略迤向东,自新昌经新宁县城及冲蒌、斗山等处,至三夹海止作为干线,又自水步圩起公益埠止作为支线,共计华里一百三十余里,名曰“新宁铁路有限公司”。俟路工告成之日,再行核计余款,续招新股,另议接展,以广公益。

第二条　公司拟集股本洋银二百五十万元,每股洋银五大元,收取股银时,先填给三联股票,收齐后再换给股份簿,执据所有股本,以周息一分计。

第三条　铁路股份每股收洋银五大元,任从沿途乡村土著报,多寡听其自便,俾各乡人等视为自己产业,互相保护,至开办时每段工程估价值,先招附近土人承办,若土人不愿做工或索价过昂,由公司另招外处工人,该土人不得抗阻。

第四条　公司将来办有成效核算余利,每一万元报效公家五百元,即将此款呈缴臣部,其余按股均派,悉遵臣部奏定公司律办理。此系与股诸人权利,未占股份者不得别立名目希图分利,以昭核实。

第五条　公司股份又旅寓美国金山各埠以及香港、新加坡、新宁附近及州县等处华商凑集,并无洋股在内,亦不准将股票股份簿转售抵押于洋人,遇有争执不得请洋人干预,以杜纠葛。

第六条　铁路须勘明路线远近、方向、河道、川沟、平阳,测量高低屈曲旋转,绘图张贴公司,以便施工。今勘定新宁铁路干线,由新昌至三夹海止,支线由水步圩公益埠止,计长华里一百三十余里。

第七条　公司所定路线, 系由向来旧路填筑者居多,既无大河水塘建筑长桥巨费,又无高山峻岭高补低需,沿途酌买地亩,路旁取泥培高路基,即有大小桥梁,俱是浅水沙地,较之别处路工经费略省。现在股银已集至洋银二百五十万元,将来所余股银,拟再续请接展路线,总在所集股银内支用,不得抵借洋债,不得请动公款。

第八条　铁路先须买地自应,援照粤汉铁路章程,分等定价。惟宁邑田价高昂甲于他邑,拟由公司禀请地方官出示晓谕,按照时价发给,以昭公允,不得争执阻挠致误要工。

第九条　新宁铁路经过处所, 凡地方水利田园庐墓,务期无碍,其实在逼近路线为设轨必需之地,自宜商令迁徙,酌给用费,如各处路工成例,该地主不得故意昂价居奇,将来路工告成,商运便捷,沿路村乡均沾到利益,倘有感于风水阻挠要工,应由公司禀地方官究治。

第十条　公司各项办事人员薪水公费以及工役饭食,均于开办之时由各股东公司议定,不得浮滥,即开车以后,所有日收客货车脚及开支养路经费,均应实收实支,由总理、副总理随时稽核汇册,报告各股东。倘经办之人有侵蚀弊混情事,即由公司禀请地方官究办,勒令赔缴。

第十一条　公司开办章程,悉遵臣部奏定公司律,有一股东公举总理、副总理各一员主持一切外,仍在股东中推举董事若干员,仍以照章会议公司各项事务,其股东会议章程,仍遵公司律,凡一股者,得一议决之权。所有公司出入总账,按照月结、年结布告各股东查阅,以昭大信。

第十二条　铁路经过地方必须逐段分设巡警以资弹压,应由公司禀请地方官派拨护路警兵,按段逡巡,所有应支薪饷,由公司按月送交统带之员,分别发给,不得别有需索。

第十三条　如有匪徒毁坏、偷窃公司物件或寻事滋闹，恃众骚扰，致令公司受亏者，准由公司禀请地方官究治，并追偿所有损失之费。

第十四条　铁路所有车辆，其驶动之力或用水汽或用电汽，由公司择定。惟车辆格式及桥梁轨道尺寸均遵照臣部颁定程式办理，并准公司设用手车，以便商旅。至路工所用机器及一切材料，由外洋运购至中国境内，悉照潮汕路章照纳关税。

第十五条　铁路须设电线德律风，专备铁路传递信息之用者，应由公司禀请臣部转咨电政大臣，准由公司自建，惟不准代人传电收费。

第十六条　铁路开车以后，载客运货仿照各路章程，随时定价，倘遇公家有事承运官兵粮械，一切车价自应遵照各路定章尽先承运，减半收价，并遵照外务部核定铁路代寄邮政章程办理。

一、铁路只允中国邮政官局送包件，其民局及别国官局邮件概不代行运送至各国。军队按合同应送各件，应由中国邮政局随同日行邮件，代为由火车寄投。

二、火车搭客行李，邮政局不愿扰及。惟若风闻或确知有夹带邮件之弊，致违禁令，应如何办理之处，亦须预订妥章。

三、火车每日开行时应备有合用专棡，以便邮政局运送寻常邮件，此开行时刻倘有改易，须于前两日向邮局声明，以便早谕众知。

四、邮政局运送寻常邮件，备用专榻路应不收费。至遇有另用专车之时，其专车之费照各国向例，必须格外从廉。此项各国从廉之费，尚须另行酌订。

五、邮政员役因公上下火车，听其自便，不得拦阻。惟携有免票为凭，倘无免票，即照常人一体看待，其免票由各邮政司向铁路局员声领转发。

六、火车各站，准租趸屋若干间，照纳租费，并于各站设立信箱，系归邮政局自行经理，其趸屋租费，尚须另行酌订。

七、所有此章程载邮政局应交铁路各费，均按每年结清。

八、嗣后铁路推广各处，均须照此章程办理，倘有更改之处，须由外务部核准。

第十七条　凡违禁物件，非商人所应购运者，公司概不接载，倘有客商私自携带，一经察出，由公司送请地方官究治。

第十八条　公司现由各股公举陈宜禧为总理，余灼为副总理，主持一切。陈宜禧熟谙路工，并招集宁人之在洋办理路工及曾入工程学堂者回宁帮同兴筑，毋须雇用洋工程师以节糜费。至应选子弟分班出洋学习路工备用，由公司随时挑选合格者，禀请臣部咨送前往，所有经费，统由公司筹给。

第十九条　路工告成时，应由公司禀请臣部派员查验工程一切及轨道尺寸、车辆格式务与部定程式相符，工料坚实方准行车。

第二十条　此项章程均遵照臣部奏定铁路章程、公司律以及潮汕成案办理。将来臣部奏定路律，仍当一律遵守。

第二十一条　无论本地及寓居外洋各埠华商，一经附入公司股份，即应遵照此项章程，并恪守臣部奏定路章、公司律及将来奏定路律办理，不得违异。

新宁铁路的立案申请，经过一年多的曲折斗争才获核准。在申请立案过程中，遇到了地方封建官吏的干扰和阻挠，但陈宜禧不屈不挠与之斗争，并最终取得了成功。筹建新宁铁路的申请之所以能够得到清廷核准，归纳起来主要有四方面的原因：首先，从大的方面讲，修筑新宁铁路顺应了时代发展的要求，符合国家与民族利益，因此此项利乡利民的大好事，得到了各阶层人士的普遍拥护和赞誉；其次，在申请立案过程中，陈宜禧与封建势力的斗争，反映了海外华人参予的资本——爱国的民族资本与封建官僚势力的矛盾，是进步势力与封建势力的斗争；第三，清政府迫于时势，为

宁阳铁路公司

挽颓局而推行的所谓“新政”，为立案申请的被核准提供了可能；第四，陈宜禧不懈的努力以及其个人的优秀资质也是奏请立案得以获批的因素之一。

（三）围绕筑路，展开斗争

新宁铁路立案申请获清廷核准，使得陈宜禧修建新宁铁路的愿望终于能够得以实现，此时的他可谓是踌躇满志、信心百倍。望着这块生他养他的土地，他欣喜自己的理想就要实现，他仿佛看到了一条巨龙在侨乡的大地上飞腾。

新宁铁路正式动工是在1906年的5月1日。关于开工这天的情形，有人在文章中作了这样生动的描述：

“1906年5月1日这一天，斗山镇上响起了震耳欲聋的锣鼓声，乡亲们像看西洋景似的跑过来围观，原来是新宁铁路第一期工程在这里放炮开工。乡亲们惊异地看到镇中心出现了一个巨大的转车盘，陈宜禧把新宁铁路的火车头在斗山镇上原地旋转180度，这样就不用换火车头，并节省了占地面积，当时在全国都是首创。陈宜禧就这样别开生面地拉开了修建新宁铁路的序幕！今天斗山镇上的许多老人还清楚地记得当年火车在这里掉头的情形。他们中间有许多人本身当年就曾经是亲历者。”（唐立新：《一条没有修完的铁路》，《情牵五邑》岭南出版社2006年版）

新宁铁路技术人员

建设中的新宁铁路

新宁铁路从1906年5月1日破土动工，至1920年3月20日完成台城至白沙线，工程分三期完成。

第一期工程：斗山至公益段，1906年5月动工修建，至1909年3月完工，全长61.25公里。

按照原计划，首期工程由当时台山第二大商埠新昌（现属开平市）经宁城（现台城镇）至台山南部的斗山。但这一计划却遭到了新昌地主封建势力的阻挠和破坏。新昌的甄姓封建势力以“轨道车头有碍水利祠墓”为由，要“具禀县善后局，请饬移设”。（批饬公勘新宁铁路，《中西日报》1906年1月15日），其真实目的是想借此敲诈铁路公司一笔巨款。陈宜禧被迫修改计划，改成从斗山经宁城再到公益。从1906年5月1

日破土动工，到1909年3月21日，完成了公益到斗山路线工程。在全长61.25公里的路程中，共设了19个车站，它们是：公益、万福寺、大江、陈边、水步、东坑堡、板岗、宁城、东门、大亨、松仔蓢、五十、下坪、四九、大塘、红岭、冲蒌、六村、斗山。颇具规模的公益机器厂也建成投产。

在这段铁路施工期间，陈宜禧不避寒暑，经常率领一些技术人员和员工到处奔波。为避免争执影响工程进度，他在备案章程中规定："先招收土人承办，若土人不愿做工或索价过昂，由公司另招别处工人，该土人不得抗阻。"针对当时台山烟赌之风盛行，流毒甚广，他以身作则，并告诫员工不可沾染烟毒。他虽年愈六十，但

新宁铁路测量工具

起早摸黑，工作勤劳，为员工树立了良好的榜样，保证了筑路工程的顺利进行。

1909年农历三月初一，在新宁铁路总站举行了盛大的通车典礼。当天新宁城内万人空巷，庆典会场鞭炮齐鸣，锣鼓喧天，欢呼声一浪高过一浪。国内许多铁路公司纷纷发来贺电表示祝贺。旅居海外的一些华侨也前来参加庆典活动，当他们看到自己的家乡终于通上了火车，无不激动万分，兴奋不已。

但是，如前文所讲，这段铁路的修建并非一帆风顺，它始终受到了封建宗族势力和封建迷信思想的阻挠。“各姓名族，鲜不持其龙蟠虎踞之雄，严其彼疆此界之限，或迷信风水而起反抗者有之，或持强权而起反抗

新宁铁路建成庆典

者有之。”工程所至，风潮迭起，“前后不下百数十处计”（《广东新宁铁路志》台山，1914 年，第 3 页）。如新昌当地大姓甄族对修建铁路的阻挠，就是一个典型的事例。另外，一些地段的乡人认为铁路线径直通过，会割断他们所谓的“龙脉”，因此无理要求铁路线弯曲回旋通过。对于这种无理要求，铁路公司虽经力争，但因得不到政府的支持，也是无济于事，因此只好改变路线，从而造成了不必要的弯轨达 39 处之多，这不但使路轨加长，增加了铁路造价，而且还影响了火车的速度与安全，增加了行车时间。这对以后的经营管理也留下了一些不利的因素。

第二期工程：公益至江门北街段，1910 年 1 月 21 日动工，1913 年 4 月 26 日通车，全长 50.577 公里。

当第一期工程动工之后，新宁铁路公司便着手筹划第二期工程，准备把铁路从公益修往新会、鹤山、南海，与佛山相接，并改名为宁佛铁路公司。1906 年开始在国内外报刊上刊登招股广告。但这个计划当即遭到了粤汉铁路公司的反对。粤汉铁路公司声言，根据已立案的粤汉铁路简要章程，除广九、新宁、潮汕、广澳、黄埔诸线外，全省各线铁路只有它有权招股修筑。虽然陈宜禧深感“宁阳地势稍僻，非增筑以达南海佛山，（宁阳）公司断难持久。”但由于得不到政府当局的支持，只得放弃这个计划，另找出路。

1908年3月，陈宜禧和余灼再次上书邮传部和农工商部，要求准予修筑公益至新会、江门铁路，并坚持日后要接通佛山干线。其目的是要接通粤中交通要镇江门，并最终接通粤汉铁路，使新宁铁路能够真正走出台山地区。但这一方案不仅继续遭到粤汉铁路公司的反对，而且受到新会、开平某些乡绅抵制。因此，尽管邮传部很快批准新宁铁路公司先展筑公益至新会线的立案，但由于受到阻挠，测量工作无法开展，工程被延搁，直到1910年1月21日才开始动工修建。1910年6月，当公益至会城线路基将要完工时，新宁铁路公司又上书邮传部，申请修筑会城至江门北街线，7月获邮传部

新宁铁路建成通车

核准，新宁铁路公司立即组织力量勘测路线，并于1912年1月动工兴建。

但此时的新宁铁路公司却遇到了两个严重的问题，其一是铁路展筑至新会境时屡屡遇到地方封建顽固势力的无理阻挠；其二是出现了严重的资金短缺。

当清政府批准新宁铁路立案后，新会的有识之士都表示欢迎。知名人士谭镳对这条铁路的路线，做了预测："由江门至新宁铁路，预定线未经测定，仅就其形势以草创出之，则必由新宁公益埠对岸，过潭江至开平界单水口埠而东入新会界。又东行过吉水为河村墟，再为白庙墟，为张村、大泽小泽、美成桥，至汾水江，又东过沙堤水为雷霆山，乃由雷霆山后东北行绕城背至惠民门、北门、东门，而入东山寺至江咀。又东北绕江门埠背至东炮台（北街）。至是可通入顺德或南海鹤山。"谭氏的预测是合理的，但当铁路展筑至新会县境时，却屡次遇到地方封建顽固势力的无理阻挠。一次是当铁路计划从公益埠过潭江至开平单水口东行而入新会界至河村墟时，河村的士绅汤、关等人起来竭力阻挠，并用封建迷信煽动群众，说什么火车经过鸣笛呜呜声音，就是鬼哭神嚎，大为不吉。火车喷出的黑烟，就是表明妇女遇了丧事而披头散发。因此，火车如从河村通过，就会给河村人带来灾难。他们还鼓动妇女联群结队对在河村进行测量的人员进行干扰、阻挠。铁路公司遇此难题，为避免日后长期纠纷，不得不改变路线，改由从牛湾渡过潭江，即从台山麦巷站沿潭江南岸至牛湾渡过潭江，然后向北经司前墟至会城。这样一来就使得从台城至新会的旅客增加了路程，因为如从台城出发，要先到公益，然后又由公益退回麦巷车站，再由麦巷转达牛湾而渡潭江。由公益至新会的旅客也是在台山境内绕了一段弯路才达新会。

另一次大的干扰是当铁路筑至会城时，一些封建顽固分子阻挠铁路绕城东北经过。铁路经会城有两条路线可走，一条是绕城东北走，一条是绕城南面行。但南行的全是水田葵基，河汊纵横，费用较高。北行多是较平坦的山岗地带，只要把犀山及猪乸岭一小段劈低

宁城车站

新宁铁路台山总站原址
（1995 年拆除）

便可铺轨，因此，其地形地貌无论从土地使用，或是从工程施工来说，都是较为合理的。但新会一些封建顽固分子则胡说什么铁路建筑经过会城北门、东门，就会破坏了新会的风水，说什么圭峰龙脉，分五龙入城，由猪乸岭结聚灵气于孔庙，另一龙脉则聚结于犀山文昌宫，新会历代人才辈出，科名鼎盛，皆由此所致。若凿通了猪乸岭及西山山脉，必然影响今后新会人的功名富贵。与此同时他们集合了一批信徒到猪乸岭、西山等地举行迷信活动，还造谣说铁路公司收买童男童女放在正待施工的沙堤桥、白沙桥桥墩下作为护桥之神，闹得满城风雨，妇孺惊慌。另一方面封建顽固士绅还联名向县府控诉，以修建铁路破坏风水、占用农田、妨害生产为由，请求下令制止筑路。结果县府批复说，该条铁路是“朝廷”批准修建的，不能变更，着令双方协议解决。随后铁路公司一方面疏通了一些士绅，另一方面则做出让步：凡该路在新会境内所设的车站，每站的职员必要安置两名新会人在内供职，沿路所占用农田耕地，也高价补偿。这样才算平息了这场风波。

1912 年 8 月间，当铁路展筑快到北街终点时，江门白石乡的土豪又掀起了一场更大的风波。当时铁路公司在白石乡的一条小河上筑桥，白石乡的土豪们以铁路在此筑桥，势必阻塞水流，造成水患为借口，提出了一系列的要求。铁路公司认为这些要求不合理，难以接受，继续施工。白石乡的土豪们见达不到目的，便鼓动乡人，对正在施工的工人强行动武，双方互相殴斗，击伤数人。乡民们人多势众，他们将四名工程人员捆绑起来进行威胁。同时，土豪还通过江门东北局向上面投诉，说什么筑桥阻水，贻害地方，请电饬先行停工，派员查勘，以弭水患。不久，民政司饬令新会县知照该公司即日停工，同时令县令同营队弹压，以免滋事。经过官方的调停，最后铁路公司修筑了中间用一钢架、不设水泥桥墩的铁桥过渡。风波虽被平息，但铁路的修建耽误了差不多整整一年的时间。从 1912 年 8 月风波初起，短短两三公里的平地铺轨工程，竟至次年 8 月才告完工。

资金问题是修建新宁铁路的关键。由于陈宜禧的积极宣传发动，首期资金问题得到了很好的解决，保证了第一期工程的顺利进行。铁路公司原来预计，第一期工程完成后，可结余现金及器材等共 70～80 万元左右，只要再续招股金 100 余万元，便可完成第二期的修筑工程。但出乎公司预料之外的是，首期工程仅结余 10 余万元，而二期认股投资又只有 30 余万元，资金缺口很大。这一方面是由于当时“银行之倒闭频闻，市面之银根益绌”；另一方面是由于粤汉铁路公司一再反对新宁铁路公司修筑这条铁路，影响海内外投资者“裹足不

板岗车站

前，劝催罔应”（《广东新宁铁路》台山，1914年，第3页）。于是，陈宜禧只好向交通银行贷款30万元，待该段工程通车后分期偿还。然而这仍然解决不了新宁铁路公司所面临的资金问题。1911年春天，雨水连绵不断，新会至江门地势低洼，当地乡民以防水患为名，要求造桥泄水，于是，沿线增建了数十处桥梁，不仅筑路费用大增，且工期延缓，难以如期完工。陈宜禧虽然变卖了一些家产作为投资，并向一批客商告贷，但仍难解燃眉之急，当时，新会至江门线购置器材、设备费、修筑费共短缺资金几十万元。迫于无奈，陈宜禧上书两广总督，要求批准公司向外国银行贷款60万元，预期两年偿还，但这样一来就违背了原订章程中“不收洋股，不借洋款，不雇洋人，以免利权外溢”的规定，因此，消息一传出，就在公司股东中和社会上引起了激烈的争论。台山的《新宁杂志》、香港的一些报纸及美国华侨报纸《中西日报》，纷纷发表文章批评陈宜禧向外国银行借款的主张，说这是“负吾邑人之期望，失天下人之信仰，背自筹自办之宗旨”，认为借外债筑路，“足以亡路”。对于陈宜禧的请求，两广总督张鸣岐在批复中指出，订借洋款与新宁铁路公司章程“原禀不符”、“未便照办”，决定电请邮传部令交通银行将其借款延期两年，并由官赈钱局及广东浙江银行借30余万元给新宁铁路公司。这样，筑路资金严重短缺问题才算得到了缓解。对于张鸣岐的做法，当时的《中西日报》批评揭露了其伪善行为，指出不准新宁铁路公司举借外债是“只准知县放火烧山，不准百姓点灯食饭”。清政府外债16.6亿元，却反对新宁铁路公司借区区之60万元，这就是官场“办事之权术”。评论还提醒公司当局，今虽暂得张督通融，但“官场实不可恃”，以防日后重蹈招商局之履辙。虽然陈宜禧深知“借债筑路，本非良策”，“原属不得已之举”（“宁阳铁路公司之宣布”《中西日报》1911年8月2-3日），其结果却是外债未借成，转而求助于清朝的省督，暴露出新宁铁路公司经济上的软弱与无助。

从1910年1月21日至1911年10月21日，历时一年零九个月的时间，公益至会城线竣工。从1912年1月至1913年4月26日，历时一年零三个月时间，会城至北街线建成。在50多公里的线路上，共建成车站16个：浔阳、麦巷、牛湾、大王市、司前、白庙、沙冲、南洋、大泽、莲塘、汾水江、惠民、会城、江门、白石、北街。

公益至北街线的建成，连通了粤中交通要镇江门，其意义深远。因为江门不仅是粤中通往穗、港、澳的一个门户，是四邑商民水陆往来必经之要道，而且当时江门已设立了海关，可以据此直接进行对外贸易。但由于修建该段铁路股本不敷，借、欠款竟高达 1035144.8 元（“商办新宁铁路公司公布”，《中西日报》，1913 年 9 月 9 日），新宁铁路公司因此而债台高筑。

第三期工程：展筑台城至白沙线。该线于 1917 年 2 月 1 日动工，1920 年 3 月 20 日通车，全长 28.5 公里。

公益至北街线的建成通车，使新宁铁路大大向前跨越了一步。随着其运营能力的提高，公司的赢利也随之增加。经过几年的经营，在基本上还清了展筑公益至北街铁路的债款后，展筑台城至白沙而达阳江的线路被提上了日程。

按照陈宜禧的设想，新宁铁路应向北延伸，经新会、鹤山、南海，至佛山，与广三铁路衔接。为此，新宁铁

陈边车站

现存的陈边车站

古老的车站已成为乡民的休闲场所

路公司甚至改名为宁佛铁路公司。但该计划却遇到了巨大的阻力，不仅粤汉铁路公司坚决反对，而且政府当局也不支持，因此该计划一时难以实现。另一个设想是向西延伸，经开平、恩平而达阳江，这不仅可以促进开平、恩平两县煤矿的开发，而且也可便利阳江等县的粮食、农副产品、山货、海产品，建材等商品输入台山地区。为此，新宁铁路公司于 1915 年 12 月，开始筹议展筑台城至白沙而达阳江路线，并拟订了招股章程，在国内外刊布招股广告。到 1917 年 1 月 15 日，公司正式向交通部呈请先行展筑台城至白沙铁路，并获得交通部的批准立案。

在修筑台城至白沙线时，发生了两个明显的变化，

大江车站

一是集股方式变化。以前主要是面向海外招股，而这次铁路公司鉴于海外招股已相当困难，便采取两种方式在县内招股。其一是铁路沿线所占用的土地，按当时地价折算招股；其二是发动沿线村镇乡民，分姓氏宗族进行集股。这样，在较短的时间内，便集股50万元，其中白沙马氏宗族便集股25万元，三合区集股9万元，水南乡集股6万元，筋坑乡集股5万元，其余零星集股5万元。据估算，台城至白沙线约需资金71万元，那么在县内的招股已基本上解决了问题。

另一个变化是，随着铁路的建成通车所产生的良好效应，使乡民的心灵受到震撼，逐渐破除了对铁路的误解。乡民们不仅纷纷加入修建铁路的行列，而且更希望铁路能从自家门前通过，也为本地区带来更多的益处。这种强烈的愿望，在修建台城至白沙线时，甚至引发了一场纷争。事情是这样的，白沙镇有两个集市，一个是潮境墟，一个是白沙墟。据说，在明朝白沙刚开垦之时，有姓黄的9户，姓马的8户，姓朱、龚、袁、梁的各1户，共21户人家徙来落户，因而白沙有“九黄一朱龚，八马一袁梁”之说。繁衍至今，该地区以黄姓和马姓居多。黄姓主要居住在潮境墟附近，马姓多居住在长江、白沙墟附近。听说要修铁路，潮境墟的黄氏宗族和白沙墟的马姓宗族都争着要让铁路从本地区通过。还在新宁铁路公司申请修筑台城至白沙铁路立案之初，对于这条铁路的走向便存在分歧。按原计划，铁路经过黄姓的潮境墟，但后来考虑到潮境一带山多路窄，改为经马姓的三合而达白沙。这一决定一公布，立即遭到黄姓宗族的群起反对，黄氏宗族代表上书交通部，指控陈宜禧徇私另与马姓立约，取消原定经过潮境墟的路线，改为通过三合直达白沙，这是舍繁盛而经偏僻。而且黄姓已集股 12 万元之多。台山旅港商会为此举行会议，调处两姓争端，并建议将路线绕至东心坑，在此增设一站，以照顾马姓要求，然后由东心坑再通向潮境墟、长江而达白沙，以满足黄氏之愿望。但陈宜禧认为，“潮境墟万山环绕，不适工程，绕长十二里，增多二十万建筑费，将来营业利益无多，舍易就难，无此办法”，坚持铁路不能通过潮境。这样一来，矛盾愈益尖锐，甚至连广东省省长朱庆澜等官员的调解亦无结果，最后终于酿成了一场械斗。1918 年 3 月，正当铁路修筑至横坑、水寨时，黄族乡民数百人群起抗议，引起争斗。黄姓宗族大队人马甚至向台山县城冲去，事态更为严峻。为平息事端，陈宜禧出面与双方代表谈了一夜，后又经反复协商，到 1919 年 3 月，双方同意由长江站修筑一条 4 公里长的支线直达潮境墟，这场事端才告平息。但据考证，这条通达潮境墟的支线后来由于种种原因未能修筑。

经过三年施工，实际耗资200万元的新宁铁路第三期工程台城至白沙线，于1920年3月全线修筑竣工通车。全线共设11个车站，即台城、筋坑、水南、官步、三合、黎洞、上马石、东心坑、长江、田坑和白沙站。至此，历时14年的新宁铁路全线建成。

（四）雄心勃勃，绘制蓝图

在新宁铁路第三期工程完工之时，陈宜禧先生已是76岁的老人了。历时14年，老人终于实现了自己心中的夙愿，他理应感到快乐与欣慰。这时的陈宜禧完全可以抽身而出，颐养天年了，但年已古稀的他并没有停止前进的步伐。因为对他来讲，新宁铁路三期工程的完

麦巷车站

工，并没有完全达到他的心愿，他还有许多事情要做。关于修筑铁路他计划要展筑阳江支线、修建牛湾火车铁桥、修筑斗山至铜鼓支线等等。除了修筑铁路之外，他还设想了建设家乡的其他一些宏伟蓝图，如开创新宁铁路银行，发展地方实业；筹建全县水力发电站；开拓汤湖大浴场；开发建设铜鼓商埠等。为了解决展筑阳江支线的资金问题，他曾致信美国石油大亨洛克菲勒，要求贷款 300 万元作为修筑这段铁路的费用。但这一愿望最终未能实现。

铜鼓位于台山南部沿海。关于开发建设铜鼓商埠的设想，是陈宜禧 1917 年前往广州拜见孙中山时提出来的。据孙中山的卫队长马湘的回忆："陈宜禧一见到

尚未完成的公益铁桥

孙中山就说：‘大总统原来就是你孙文，在美国谋生的唐人，没有一个不知道的。你做大总统名义还不够好，大元帅更不好，最好还是登上皇帝位，做个真命天子啊！’中山先生听了不仅没有半点不愉快，而且还把致力国民革命的目的和封建社会的皇帝是什么东西，都耐心向他做了解释。陈宜禧又说：‘我的家乡原叫新宁县，现在改叫台山，山怎能够抬得动呢？还是叫新宁吧，孙中山又把新宁改为台山的原因和取义告诉了他。”（马湘：“跟随孙中山先生十余年的回忆”，《新宁杂志》1962 年 10 月第 5 期）当时，陈宜禧向孙中山建议，开辟赤溪县的铜鼓为商埠，开展对外贸易，以与香港争衡。这一建议，得到了孙中山的嘉许。1923 年 2 月 21 日，孙中山由香港赴广州任中华民国陆海军大元帅。1924 年 3 月 3 日，孙中山特许台山实行地方自治。9 月 6 日，任命陈宜禧为筹办铜鼓商埠委员。1924 年至 1925 年间，陈宜禧除了在华侨、绅商中开展集资活动外，还分别给美国驻华大使、驻广州总领事、西雅图商会和他的美国朋友柏克等发出许多信件，邀集美商积极投资建设铜鼓商埠，企望美国当局赞助他的建埠计划。这些举动反映出陈宜禧在引进外资的问题上，观念已经发生了变化，从建路之初的“不招洋股”，到此时竭力争取外资，表明了他希望借助外国资本发展民族经济的意愿。可贵的是，在他提出开设铜鼓商埠作为“自治特别区域，招各国投资，开作通商口岸”的同时，还做出了“埠中应兴革及一切事宜，采参事制，随时议决施行，但仍受中国政府法律之约束”的规定（见《开设铜鼓商埠简章》第一、二条）。可见他的引进外国资本，是要在不丧失、不损害中国主权的前提下进行，这也是陈宜禧强烈的爱国爱乡思想的一种体现。

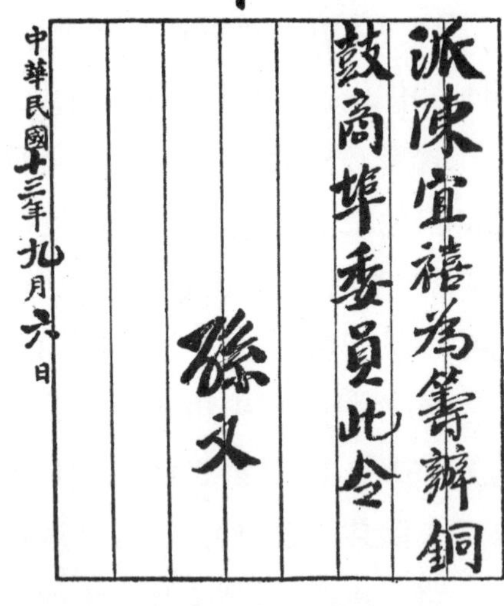
大元帥令

派陳宜禧為籌辦銅鼓商埠委員此令

孫文

中華民國十三年九月六日

孙中山大元帅令

陈宜禧怀抱着改变家乡落后面貌的宏大理想与志愿，但限于当时的社会条件，其理想与志愿很难真正得以实现。无论是展筑阳江支线，修筑火车铁桥，还是开发台山温泉，建设铜鼓商埠等计划都纷纷成了泡影，但陈宜禧先生“老骥伏枥，志在千里”的精神，今天看来，也足以让人感动与钦佩。

四、30 年间惨淡经营

随着 1909 年新宁铁路首期工程公益至斗山线的建成通车，铁路公司的客货运业务也正式启动。从这时开始直到 1939 年因日寇的侵略而被迫拆除铁路、遣散职工，新宁铁路共存在了 30 年的时间。30 年间，新宁铁路公司惨淡经营，历经风雨，火车艰难的行进在南中国的这条铁路上。

（一）制订章程，完善管理

新宁铁路公司是由海外华人一手创办起来的，采用了先进生产方式的现代企业。这一企业从创建之始，就制订章程，建立了较为完备的组织及管理机构，并且随着公司的不断发展壮大，其组织及管理机构也不断发展与完善，初步建成了现代化企业的管理系统。

从组织及管理机构的变化来看，可以以 1926 年陈宜禧的去职为界，分为两个不同的阶段。第一阶段，从 1905 年至 1926 年，为陈宜禧主持路政时期。这一时期依据《宁阳铁路公司章程》、《宁阳铁路公司权限章程七条》、《宁阳铁路公司开办善后章程十条》等，设立了平行的正、副督办、正副总办、会办等职。正副督办名义上"主营本铁路公司官府交接事务及一切稽查工程";会办"主管会商铁路工程事宜"。这两个职位属虚职,不负责管辖处理具体事务。真正掌握公司实权、负责日常经营管理事务的是总办。正总办(后称总理)的权限为"主管用人、理财",副总办(又称副总理、协理)的职权是协助总理主持事务。在正副总办下设立了工程处、收支处、财务处、股册处、车务处五个处及文案(后称总书记、书记)。这五个处主要负责处理公司的具体路务,文案则负责文书工作。1914 年还成立了董事局,作为铁路的最高决策机构。但初期的董事局成员多在香港经商,董事局也形同虚设。因而这一时期铁路的实权掌握在陈宜禧的手中。当然这也是众望所归,因为德高望众的陈宜禧不仅是该铁路的主要创建人和重要投资者,而且更重要的是陈宜禧长期在美国从事铁路修筑工作,具有丰富的经营管理铁路的实际经验,因此是最为理想的总理人选。

1926 年陈宜禧被迫离职,直至 1929 年铁路公司由广东省政府组成的"新宁铁路整理委员会"接管,1929 年 1 月,才重新交回原董事局。这一时期,新宁铁路公司依据新修订的《新宁铁路股份有限公司章程》和《新宁铁路经理处编制专章》,改组了原经营管理机构,因此,从 1926 年～1939 年,是为公司经营管理的第二阶段。

在新的组织管理机构中，董事会为公司最高权力机关。董事由股东大会推选，共9名任期3年，其中常务董事3名。董事会的主要职责为互选常务董事，聘、辞正、副经理及任免司库员并监督之，核订购料、购地、包工、批租各项合同，核定全路各级职员薪俸表及议定本公司各项章程。显然，这时的董事会已不是一个虚设机构，而是一个握有重要权力的机关了。

在董事会下设总经理、副经理职。全路的用人、行政、营业等具体事务均由总经理掌管，副经理的任务是协助总经理的工作。新的章程对总经理的职权范围、任期、资格等做了具体规定，如在用人方面，总经理拥有任免除掌管公司金库的司库员以外的全路员工、警役

松仔萌车站

的权力。在用钱方面，凡购买物资、兴建工程，超过一万元以上的，先将预算交董事会讨论决定后方可执行。显然，总经理的财权受到了很大的限制。

在总经理、副经理之下设总务课、工务课、车务课、机务课、会计课五课执掌路政事务。在总务课下又设置了总务股、股册股、庶务股、材料股、警务股、医务股、编查股、广告股、稽查股、印刷股和香港办事处。在工务课下设置了总务股、工程股、工务股、地亩股。在车务课下设了总务股、运输股、核计股、电务股、车务段。在机务课下设置了总务股、工事股、机器厂、船务股、机务股。在会计课下设置了总务股、综核股、检查股、出纳股。除工务课设总工程师一人外，其余各课设主任一人，主持课内一切事务。

新的经营管理机构较之第一阶段来看有两个特点，其一，总经理的权限受到了明显的削减，这有利避免个人的武断专行；其二各项职责分工更细，更严，有利于更加明确各自的职责调动各部门的积极性。

（二）军阀勒索，巧取豪夺

新宁铁路的建成，大大方便了台山地区的交通运输，但这条铁路也成了地方反动军阀敲诈勒索，巧取豪夺的对象。

在广东革命政府建立之时，新宁铁路公司曾拿出

大亨车站

12万元借给革命政府以补军饷（这笔借款用加二车费的方式扣还）。当时为了保护这条民营铁路，孙中山曾指出任何机关、单位不得再向新宁铁路借款，并严令不准军队无票乘车（《饬驻防军人应按搭车办法乘车令》，民国十三年[1924]一月九日）。但大小军阀却不听指令，肆意妄为。仅1915至1917年间，各地军官欠下铁路的借款便达49513元。1923年12月3日，西江善后督办江门行署颁发布告，宣称由于“土匪蜂起，调遣各军剿办需费很多”，责令新宁铁路公司再加收车费附加费二成，“按日汇缴本署核收，借济军饷”。至于政府官员、军队官兵不购票乘车的现象，则更为普遍。为此，陈宜禧不得不上书粤军总司令许崇智，要求予以制止。

但这无异于与虎谋皮，就是这位总司令，1925 年竟然每月向新宁铁路“借饷”1 万元，驻江门的第一军每月向公司收饷 5000 至 7500 元。

陈宜禧没有想到的是，革命后迎来的不是和平安定，而是军阀混战。广东地方军阀，把新宁铁路当成“提款机”，无休止地从中提取军饷，有些将领更是不断地以“借款”的名义巧取豪夺。军阀的敲榨勒索，大大加重了铁路公司的负担，这是导致铁路公司债台高筑的原因之一。

（三）土匪猖獗，抢劫骚扰

除了军阀的敲诈勒索之外，土匪的抢劫骚扰，是铁路公司面临的又一大难题。

当时的台山地区匪患严重，土匪们啸聚山林，抢劫财物，甚至进村绑票妇女儿童，杀人越货。人们的人身安全受到了严重威胁。当时台山地区大量兴建的具有防御功能的坚固碉楼，其主要功能就是为了有效地防御土匪。这种碉楼在 19 世纪 20 年代至 40 年代，就建起了 5000 多座，从一个侧面反映了其匪患之重。

土匪们不仅抢村庄，而且还将乘坐新宁铁路的商旅、金山客及侨眷作为他们抢劫的对象。如 1916 年，一群土匪包围了汾水江车站，抢劫进站火车。有百多名旅客遭绑票，铁路公司方面也遭到巨大的经济损失。为了保证行车安全,大的车站也建起了碉楼,并成立了路警队,长途的客车来往,另有一装甲车载着路警随行保护。1918 年全路员工共 1377 人,其中军警就有 428 人,占总数的 31%,发给的工资就达 4335 元,这更加重了铁路公司的负担。

(四)债台高筑,财政拮据

新宁铁路是以集股的方式筹集资金兴建起来的,因此,铁路公司理所当然地要充分考虑股东们的切身利益,加强经营管理,以使投资者有所收益。但尽管铁路公司尽了很大的努力,其经营状况一直不佳,所以到 1926 年止,所派股息仍停留在未通车前的股本上。

从表上可以看出,1923 年分派的股息尚有 23 万多元,但从 1924 年起却急转直下,息银锐减。表明铁路公

陈宜禧任内分派的股息

时间	息银
1923 年	230726 元
1924 年	5917 元
1925 年	8070 元
1926 年	585 元
共计	245298 元

整理新宁铁路委员会:《整理经过及计划报告书》,1927 年,原件藏台山档案馆(转引自郑德华、成露西著《台山侨乡与新宁铁路》)

司经营收入的减少。

当时，新宁铁路虽然同时经营客、货运业务，但主要经营的是客运业务。由于客运量不大，造成铁路利用率低，管理费用居高不下。再加上新宁铁路所需的机器、设备、燃料等，主要依赖进口，如铁路所用铁轨、铁板、枕木等多来自美国，而火车头、车厢则多由德国制造，甚至煤炭也要靠外国供应。这种对外部的过分依赖，势必受制于人，一旦进口货物涨价，马上就会加重公司经济上的负担。如 1914 年 10 月间，因“洋煤来源短绌”，火车停驶两站。1916 年至 1918 年间，由于洋煤价格猛涨，公司付出的购煤费用，增加了三倍多。这无疑是加重了经营的负担。

另一方面，汽车公路运输业的发展，对火车运输造成一定的影响，导致火车收入的减少。台山等地的公路交通运输业是从 20 世纪 20 年代发展起来的，如台山在 1923 年，由华侨商人李金钊承办“台山全属行车公司”，采取出田、出丁、投资的办法修建公路。1925 年，台城至圆山仔 5 公里路段修通，台山开始有了汽车运输。至 1927 年，台城至端芬上泽、台城至广海、台城至大江、台城至斗山等路段相继建成通车，全县汽车运行里程达 76 公里。至 1930 年，台山县政府取消了台山全属行车公司的专利，按汽车运行的线路，分设台鹤、台海、台赤、台新、台荻五大行车公司，全县汽车运行里程发展到156公里。另外在新会，1924年冈州马路建成，江门新会两地有了汽车往来行驶，且汽车班次较多。后来会城马路建好后，汽车可以直接开进城内搭载旅客，这更加抢占了火车的客源，影响了火车方面的收入。为了增强竞争力，新宁铁路公司乃于1927年5月16日起，增置有轨汽车，专门行驶江会两地，每日除由台山至北街长途火车三班外，白昼时刻都有有轨汽车往来江会（原短程江会火车取消），并将票价降低为单程1角5分，双程2角5分，用优惠的双程票价来吸引乘客。在汽车运输的压力下，有一段时期，火车又再次大幅降价，甚至还出售过每份可乘10次的长期票，每份只收4角。直至抗日战争爆发前，火车收费一直都比汽

水步车站

万福寺车站

车为低。

从20世纪20年代起，新宁铁路公司的财政状况开始不断恶化。军阀勒索、土匪猖獗，加上铁路所需机器、设备、燃料的价格上涨，以及汽车运输业的竞争，这一切使得新宁铁路公司“入不敷出，债台高筑”。据统计，1925年至1926年间，公司积欠的债款已达140余万元。陈宜禧虽然把他在美国西雅图的楼房一幢和沙坦市店铺五间贱价出售，并将售得的6万元悉数交给铁路公司周转，但毕竟是杯水车薪，无济于事。当时，陈宜禧曾寄希望于尽快展筑白沙至阳江、斗山至铜鼓的两条铁路，希望藉此增加公司的运营收入，但由于无法筹得建路资金，计划虽然很好，却终成泡影。

新宁铁路公司三期工程完成之后的一段时间内，在经营方面还是有所盈余的。当初公司在招股时，对股东们是有派息承诺的，为了实现其诺言，陈宜禧于1922年11月发布了《新宁铁路开派股息公告》：

“径启者。本路自开办迄今，已历十七年矣。至今未派股息，难免股东遗言，即宜禧抚心自维，不无愧慊。但经过困难情形，及延迟派息原因，有当为股东谅解者，请为股东略陈之。查本路先后共集股本三百六十余万元，建筑路线运载三百六十余华里；此外购置牛湾渡海铁船一艘，建筑机器工厂一座，台会公司洋楼三座，公益、北街码头三座，沿路车站、工厂各四十余间，购置车头、车辆，安设电话杆线，改筑红毛坭桥，建置地亩铺屋，估计全路动产、不动产，约值八百万有奇（细致统列民国七年统计表，七年以后增置各业尚未列入）以此计之，虽未开派股息，而所获盈余，实已超过息额之外。此即派息之迟滞因原也。

夫路线愈长，则收益愈溥，稍有常识者，类能知之。本路自斗山至公益站，路线太促，无利可图，故有展筑新会北街之计划。然预算需本二百万元，续招新股，仅得五十余万。尔时公司财政困难达于极点，嗣因资本不敷，不得已借债以益之。借债不足，宜禧复变产以济之。故宁忍一时之艰苦,无非欲图将来钜大之利益也。现拟兴筑牛湾铁路、创设铁路银行、展筑阳江枝路,凡各数端,对于本路营业前途,均有密切之关系,业经董事局决议赞成。一俟厘定章程,即行开办。惟筑路建桥,需款甚钜。需款愈钜,即派息愈迟。预料股东责难,自必比前较甚。今为权宜之计,拟由公司设法筹措,先将自光绪三十一年(按指1905年)本路招股时起,光绪三十四年四月十六日(即1908年5月15日)未开车以前交款之股,自交款之日起,计至光绪三十四年四月十六日止,一律以周息四厘派支(招股时曾声明:未开车以前之股本均以四厘周息计,开车以后周息一分算)。其余股息,一俟筹有的款,另再定期布告,陆续开派。兹将派息日期及办事手续开列于左:

(一)派息日期:由民国十二年一月一号起至四月三十日止,逾期到取,每月定期新历十六日开支;

(二)派息处所:(台山)新宁铁路总公司、(香港)新宁铁路公司分局;

(三)领息股票:凡在光绪三十四年四月十六日以前交股银者,须将股部、息折统交派息处查明核给。注意:如在光绪三十四年四月十六日以后交股银者,现未派息,幸勿误会。

（四）股东收息，搭车免费。凡携有光绪三十四年四月十六日以前交息部及息折，到台城总公司收息者，自本年旧历十一月十五日至十二年旧历二月十五日止，免收车费，但只准来往一次，以示限制。中华民国十一年十一月总理陈宜禧。

再者。宜禧今年七十有八矣。夙所抱持之志愿，厥有四端：一拟建筑牛湾火车铁桥；一拟推广阳江枝路，此皆关于本路营业前途者也。一拟筹设台山全邑水力电灯；一拟开拓台山汤湖热水湖为大浴场，此皆关于地方公共利益者也。四者之目的既达，宜禧之志愿斯慰。至于循序进行，惟力是视。尚望股东诸君暨各界明达，匡其不逮，俾底于成，庶宜禧得偿志愿，而释仔肩，拜赐多矣。宜禧附志。”

（见1922年第8期台山《胥山月刊》，原件藏于台山图书馆。）

从这篇布告中，不难看出几点，其一新宁铁路公司首次派息的日期是1923年1月1日；其二，所派的股息截止日期为新宁铁路首期工程斗山至公益段通车之日，即1908年5月16日，其余股息等公司将来赚了钱再陆续开派；其三，即使是这笔股息，也是为权宜之计，由公司设法筹措的，反映了公司当时资金的紧张状况。

正是由于铁路公司财政状况欠佳，对股东派息的承诺一直难以很好地兑现，所以到1926年为止，所派的股息仍停留在未通车前的股本上，这不能不引起股东们的不满。

（五）官吏相逼，被迫离职

至1926年，新宁铁路已处于极为困难的境地。一方面是铁路公司的债务人纷纷要求偿还债务，“债主临门，急如星火”；另一方面，由于1925年3月12日孙中山先生的逝世，国民党右派逐渐夺取了广东军政大权，新军阀更加疯狂地掠夺铁路权益，而此时陈宜禧成了众多矛盾的焦点。国民党反动派和政客为了达到他们撤换陈宜禧，控制铁路的目的，制造了一系列的阴谋活动。

东坑堡车站

首先，国民党右派操纵的新宁铁路机器工人工会与台山土豪劣绅相互勾结，迫害新宁铁路进步工人、捣毁进步工会组织，接连制造怠工、罢工事件。1926 年 9 月，他们蒙骗火车司机罢工达 11 天之久，并提出苛刻的复工条件，这实际上是以瘫痪铁路运输相威胁，企图达到控制铁路的目的。

其次，对陈宜禧进行恶毒攻击诬蔑。如 1927 年 3 月 2 日的《台城舆论报》发表时评“为整顿铁路者进一言”，攻击陈宜禧“虽无论如何之清洁、如何之才具，识者莫不知其为非干事人”，“明明亏我血本，明明藉我之血本，供其家肥屋润。苟非丧心病狂，谁不欲驱逐之”。他们还到处散布流言蜚语，指责陈宜禧徇私舞弊，侵吞公款。对此，当时由广东省政府成立的整理委员会，反复查核了公司的账目，企图找到陈宜禧“营私舞弊，侵吞公款”的证据，但他们不仅没有找到任何证据，反而发现，陈宜禧出售了自己在美国西雅图和沙坦市的产业，无代价地将 6 万元交给了铁路公司。更令他们惊讶的还有两件事，一是在展筑公益至北街段时，陈宜禧曾向交通银行贷款 30 万元，到还款时，交通银行纸币贬值，只需 20 万元，已够偿还，剩下的 10 万元，陈宜禧全部交给了公司。另一件事是根据香港洋行规定，对于介绍人给予 2%或 3%的佣金。而陈宜禧自创办铁路以来，历年所购买的车头、车卡、铁轨、煤炭及有关器材，佣金完全交给了公司。这样巨大而合法应得的款项，他尚且不要，还有什么“侵吞公款”的罪名呢？陈宜禧的清正廉洁使那些造谣惑众者的谣言不攻自破。

第三，1926年11月11日，广东省政府以所谓的“工潮迭起，路务废弛”和“管理不善”为由，决定由省建设厅派出陈延炆、钟启祥和刘鞠可三名官员，会同新宁公司董事局推举的两名董事陈荣贵、马礼馨组成“新宁铁路整理委员会”，接管陈宜禧总理和董事局的一切权力，负责对新宁铁路进行为期六个月的“管理”。这一举动，立即激起了广大股东及社会舆论的广泛反对。“台山各界暨股东维持新宁铁路请愿团”、“旅省新宁铁路股东维持会请愿团”和美国旧金山华人纷纷致电广东省政府当局，反对派员整理路政，要求当局收回成命，以顺舆情。请愿团还向当权者提出了多条反对意见，如指出：新宁铁路完全是一条商办铁路，政府一直采取的是保护的态度，现在突然宣布派员管理，横加干涉，这样做乃“非常之举”，势必引起“黎民所惧”。而且新宁铁路是台山最大的企业，颇受民众信赖，大家纷纷附款项于该公司，总计已达110余万之多，现在如果官方实行派员整理，大家会以为该路被政府收管，就有可能将附项尽行提取，其直接后果将会导致公司陷于破产的境地。请愿团针对当时广东政府计划开辟黄埔商埠,吁请华侨投资之事指出,作为一条创建多年的商办铁路,如果真的有所改变的话,势必削弱华侨投资黄埔商埠的信心,影响黄埔商埠开埠的前途。请愿团甚至还拿出了孙中山先生“三民主义”的招牌,指出不应违背了其宗旨,尤其是当时适值北伐战争时期,政府的各项措施,都应顾全民意,顺应民心,以维护后方的稳固。

对于各方请愿，政府当局置之不理，仍然一意孤行,强行委任陈延炆为新宁铁路经理委员,刘鞠可为工程委员,钟启祥为会计委员,于 11 月底赴台山接管路政。对于政府的粗暴行为,铁路公司的广大股东和多数董事都竭力反对由此三名官员接管公司大权，只同意他们担任顾问之职。

对于这条凝聚了自己几十年心血的铁路，陈宜禧寄予了太多的感情,他不愿看到铁路白白的被夺走,他还要展筑阳江、铜鼓支线,他还有许多未竟的事业需要完成。因此他坚决拒绝交出总理之权力,并声明:“无论何时,其有以非法相加,破坏我宁路商办之局者,宜禧一息尚存,誓死力争。”认为这是“政府趁火打劫,坏人当道”。整理委员会见陈宜禧坚决不从,先是向建设厅请示,接着在 1927 年 2 月 21 日,陈延炆向江门警备司令部请调军人一连,对铁路公司实行武力接管,并强令

公益车站

公司每月支付 3000 元军饷作为对军队的酬劳。在武力威胁下，陈宜禧不得不忍痛离开台城，回到六村家中。但陈宜禧并没有停止抗争，从 1927 年 6 月 5 日至 6 月 16 日，他在《台城舆论报》上连续 12 天刊登广告，以总办名义宣布在 6 月 15 日召开股东大会，选举总理、协理、第六届董事和监察人。1927 年 10 月他已 83 岁高龄，还写了一封《致宁路股东及各界诸君书》，呼吁股东“急举贤才”。而整理委员会却加紧了对陈宜禧的迫害，他们除了散布陈宜禧的流言蜚语外，还在报上刊发声明，宣称陈宜禧在报上刊登的召开股东大会的广告“显属违抗政府，应予严办”，对于参加大会者，视为“反动捣乱之举”。

陈宜禧遭此打击，心力交瘁，渐渐神志失常。在六村他曾对人讲:“铁路是我修筑的，他们不应赶我走，官就系贼”，“他们好像清朝那样腐败”。对官僚军阀强夺民产，表示了极大的愤慨。在美塘村老家，他每天目光呆滞地望着屋顶，这里有他当年从美国捎回来的、专门用来铺铁轨的工字梁。常常胡乱喊道:“铁路修到佛山了！”并要求家人找轿子抬他出去看铁路。1929 年 6 月 25 日，陈宜禧先生在悲愤中默默地离开了人世。老人出殡之日，大雨滂沱，仿佛老天也在为其感动流涕。当日，冒雨自发前来执绋的乡民逾万人。宜禧老人深爱着自己的家乡，并将自己的后半生无私地奉献给了家乡，因而他也赢得了人们的无比崇敬。当时新会人陈笃初（清太史）有一对挽联这样写道:

“早岁涉重洋，力求多金，由是习技能，通艺术，且得华洋傅仰，交推为一方领袖之人才。噫！非奇士耶？综核毕生行谊，或讥其刚愎，吾服其朴诚。或诋其自专，吾嘉其勇敢。志愿宏大，节目疏阔。伊古英雄，每不免几微累，何必深求？窃幸附属宗盟，忘年结契，素履我特专详。忆昔杯酒言欢，款洽琼筵曾几度。

暮龄归故里，独招路股，又兼司经理，督工程，犹复琐屑躬亲，竟成两邑平行之轨道。吁！是伟绩矣！近闸闾巷业谈:有功过并衡,因未臻允惬。有毁誉参半,亦未见持平。任事维艰,知人匪易,唯兹众口,恒莫谅当局难,妄加诟病。试问支撑廿载,荡产倾家,后贤俦先继者。迄今盖棺论定,巍峨铜像永千秋。”

他身后的遗产，除香港陆海通旅店和广东银行略有投资外,只有美塘村住屋3间,土地20余亩,陈宜禧可以说是将自己毕生积蓄的家产都献给了新宁铁路的建造事业。

（六）日寇侵略,毁于一旦

从1927年2月至1929年1月,为管理委员会掌管新宁铁路时期。广东省建设厅原定整理新宁铁路的时间为半年，届时将路政大权交回股东大会选举产生的董事会，但历任经理委员千方百计阻挠股东大会的召开,一再延长整理期限,结果最后管理期限竟长达2年之久。在这段时间内,整理委员会一方面大肆镇压新宁铁路职工中的革命力量,进行所谓的“清党”。整理委员会在1927年蒋介石发动“四·一二”反革命政变之后,依靠反动军队和铁路路警,查封了铁路职工联合会组织,开除并迫害进步职工,在短短几个月内,便以“平日工作不良,性近怠惰”的罪名解雇了一百多名工人。沙冲车站站长刘达，因支持农民自卫军，竟被逮捕杀

五十车站

害。另一方面拟定了新的经营管理方面的规章制度，大肆裁员减薪。在短短两年内，整理委员会将原来的1600名铁路职工，裁减为1302人，平均月薪从30.5元降至22元。奇怪的是，路警仅减员一人，月薪却增加了10.6%。原来公司总经理一人月薪600元，现在五名整理委员月薪共计2000元，加重了公司的负担。

整理委员会的所作所为，不断遭到新宁铁路公司广大职工和股东们的反对。至1928年11月，整理委员会被迫同意召开股东大会。这次股东大会选举产生了第六届董事和监察人。董事会决定聘请陈荣贵、马礼馨为正副总经理。1929年1月，整理委员会正式结束所谓的整理，路政交回新董事会和总经理接办。

新宁铁路收回商办之后，由于采取了一系列措施整理路务，加之30年代初期台山侨汇增多，外汇兑换率较高，而海外华人多在此时回乡探亲购房，因此火车的客货运量有了较大幅度的提高。同时，铁路公司为了适应乘客的需要，增加公司利润，于1930年开通了台山县城至公益、会城至北街及西南枝路段的有轨汽车，收入也非常理想。因此，从1929年至1932年的4年间，新宁铁路公司的经营一度出现了好转，这几年每年大约都有20～40万元左右的盈利。但也正在此时，爆发了席卷整个资本主义世界的经济危机，在危机期间，美国经济遭到的打击特别严重，这导致台山居美华侨寄回家乡的侨汇骤降，台山地区陷入经济萧条之中。这

下坪车站

1929～1934年新宁铁路盈亏情况统计表

年份	年营业收入	盈、亏
1929年	1601037元	盈326359元
1930年	1829255元	盈442248元
1931年	2174751元	盈360000元
1932年	2109923元	盈263652元
1933年	1738076元	亏39951元
1934年	1378995元	亏66479元

资料来源:《铁道年鉴》第1卷,第1194—1195页;第2卷(下),第1647—1671页:《新宁铁路民国二十三年(1934年)度统计年报简编》(藏广州市博物馆),《新宁铁路月刊》1931年,第11期。

(转引自郑德华、成露西著《台山侨乡与新宁铁路》)

又进而导致铁路客货运量下降，公司全年营业收入急剧减少,并出现了亏损。

由于财政上的困难,致使1929年收回商办时提出的一些计划中途不得不停顿下来。最大的一项是修筑公益铁桥。1931年，铁路公司决定借2712400元建桥(包括改造从公益到大王市的铁路)。1932年与美国马克敦建筑公司在香港签约，并已交款565000元（港币),折合美元177000元,计划24个月内完成,可是只修了两个桥墩就停顿下来。

铁路公司企图以减薪裁员措施来渡过这种严重困

新宁铁路职工人数表（1933～1935年）

部门＼年代	1933			1934			1935		
	职员	职工	共计	职员	职工	共计	职员	职工	共计
管理处	16		16	16		16	16		16
总务处	70	320	390	34	251	285	19	165	184
车务处	82	303	385	81	233	314	9	265	274
机务处	55	281	336	55	282	337	55	230	285
会计处	41		41	24		24	21		21
合计	334	1266	1600	280	1092	1368	138	821	959

新宁铁路全路员工月薪、年薪表（1933～1935年）

年代＼类别	月薪（元）	年薪（元）
1933	55827.88	669934.56
1934	38364.41	460372.92
1935	36620.11	439441.32

资料来源：《铁路年鉴》第3卷，第1432—1434页。
（转引自郑德华、成露西著《台山侨乡与新宁铁路》）

境。1933年公司解雇职员28人，并宣布留任者一律减薪。1934年又解雇职工200多人，到1935年之后，新宁铁路的职工人数只有959人，等于1933年的60%，工资总额减少230493.24元，营业状况和财政收入依然还在直线下降。新宁铁路已陷于破产的边缘。

1937年7月7日，日本发动全面侵华战争。新宁铁路虽然仅是位于我国南部沿海一隅的一条短程客货运铁路，并无重要的军事作用，但也不断遭到了日本军机的轰炸。1937年日机首次轰炸会城时，便以会城东门火车站为主要轰炸目标。随后每次敌机来袭时，都对新宁铁路盘旋骚扰，丢掷炸弹。当时铁路员工同仇敌忾，被炸毁的铁路，很快就得到了修复。但随着破坏的日益严重，铁路逐渐陷于瘫痪，只能分段行驶有轨电车。对于日机对新宁铁路的轰炸，李来添老先生回忆了那段悲痛的往事：

“1937年10月15日下午，我正要回校上课时，忽然听到一阵阵‘呼呼’的飞机声，跟着就听到一连串的炸弹爆炸声，我家的锌铁皮墙也被震得隆隆作响。我和母亲慌忙走出门口向机声响处张望，见有10多架日本飞机在牛湾上空盘旋轰炸。炸了大半个钟，就见有3架日本飞机向公益埠飞来，我和母亲惊慌地跑到附近的树丛中卧下。三架日本飞机到公益埠上空，轮回向机器厂投炸弹，又用机枪不断扫射，一时爆炸声和机枪声震耳欲聋，机器厂被炸得火光冲天，黑烟把半个公益埠都笼罩了。至傍晚4时许，日机才飞走，整个公益埠人声鼎沸，才知牛湾渡江铁船被炸沉，整座机器厂被炸毁。

新宁铁路自抗战爆发后，多次遭日机袭击，群众都不敢坐火车了，铁路营运渐渐出现不景气，牛湾铁船和机器厂被炸后，铁路更处于半停顿瘓痪状态，我父亲也被铁路公司欠发半年工资，我家被迫迁回了新会乡下”。（《江门日报》2004 年 6 月 23 日）

被敌机炸毁的宁城站月台

1938 年 10 月，广州沦陷，为防日军迅速推进，第四路军江门办事处主任徐景唐下达了“着即将沿海沿江各公路基桥梁，及新宁铁路新会段、麦巷至大江公益各段所有路基路轨桥梁，征工彻底破坏”的指令。根据这一指令，台山县政府于 12 月 12 日发布了关于破坏新宁铁路和全部公路的布告。新宁铁路公司奉政府当局之命进行拆毁。1939 年 2 月 14 日，新宁铁路正式遣散职工。3 月，日军占领了新会、江门。4 月 15 日，台山县政府接电实施对铁路的第二次破坏，方法是沿铁路线10里内的乡村按人口的比率征工百分之十五迅速动工，限3天内完成。铁轨分散贮藏各乡，枕木作为各乡拆路工的代价。机轴由铁路公司拆散埋藏，并规定铁路路基每华里破坏 4 段，每段长 5 丈，掘长方形深穴 5个，仅留 3 尺行人小道，把其余路基辟为农田，实行“化路为田”计划，由各乡公所批给农民耕种。6 月 1 日，台山县政府又奉命实施第三次对交通的破坏，限定在 5天内按第二次规定的办法对台城附近尚未破坏的铁路路基进行破坏。1940 年之后，日军多次进占台山，为阻止日军，从 1940 年 6 月 5日至 6 月 10日，又对交通实施了第四次破坏，令将全条铁路的路基破坏，必须保留的交通要道，仅可留一市尺以便行人。至此，台山海内外人民花费无数心

新宁铁路被毁后留下的废轮

血修筑的新宁铁路，在日寇侵华的战火中全部被毁。新宁铁路价值港币3000多万元的资财，除了1942年调运23782根铁轨至广西修筑黔桂铁路外，全被日寇洗劫或散失于民间。至1945年抗日战争结束时，新宁铁路剩下的只是残缺的路基了。抗战胜利后，新宁铁路公司董事会拟定了一个修复新宁铁路的计划，并向南京政府要求补回铁轨款项以资修路，但迟迟不见答复，后又委托台山旅京同乡从中交涉，也没有结果，修复新宁铁路的计划终成泡影。

五、新宁铁路所产生的重要社会影响

新宁铁路从开始建设到最后被毁，前后共存在了约 33 年的时间。在短短的 30 余年时间里新宁铁路从无到有，不仅大大改善了台山地区的交通运输状况，而且对台山及其邻近地区的社会、政治、经济、文化等方面均产生了重大影响，带动了社会的进步与发展。概括起来主要表现在以下几个方面：

首先，新宁铁路大大改善了台山地区的交通运输状况。

长达 130 多公里的新宁铁路从南到北，几乎纵贯台山全境，并一直延伸到新会和江门北街（铁路北面终点站），这就与西江这一重要的水上交通线相贯通，从而使人员或物资可以迅速的进出台山地区。在铁路修建之前，交通运输艰难，水路靠木帆船，陆路靠手车、肩舆（轿子）。台山海外华人取道江门回乡或出国，如果步行或坐轿，不仅需费时两到三天，而且由于土匪猖獗，很不安全。铁路通车后，时间缩短为一天，且在安全方面也有了很大的保障。向南则延伸到临近南海的斗山墟（铁路南面终点站）。斗山墟有三夹河与大海相通，这样阳江、湛江等地的生活、生产物资就可以通过海路到达台山沿海，再经三夹河到达斗山，然后由铁路分送至台山其他地区。在未通车前从台城到斗山，乘轿或步行，一天可勉强到达。通火车后，仅需两个小时就可到达，而且即使携带大的“金山箱”也不成问题。因此，正如当时的《新宁乡土地理》所指出的“此路既成，六都之人，交通便利，陈君此举，为吾邑增一光荣、美丽之历史矣。”

新宁铁路的建设，还带动了公路和水路交通的发展。公路交通方面，仅在台山，到1932年，已有公路65条，其中的17条通了长途汽车。据统计从1925年至1937年共建成公路387公里。这就形成了以新宁铁路为干线，以台城为中心的陆上交通网；水路交通运输方

四九车站

面则形成了台山、江门、广州、香港、肇庆和梧州的水上交通网，汽船航运也飞速发展起来。水、陆交通网的形成，完全改变了台山地区地处东南一隅的封闭落后的交通状况。

其次，推动了台山及其邻近地区政治、经济的发展。

由于交通运输状况的改善，台山、新会、江门迅速兴建了机械、电力、造纸、制糖等工厂，使当时江门五邑的经济发展跃居全国县级经济发展的前列。尤其是台山地区，其商业、钱庄业、渔业、建筑业、印刷业、机器制造业等均得到较快速度的发展。比如商业，由于台山是著名侨乡，每年台山海外华侨寄回台山的侨汇常达几百万甚至上千万元，使之形成了巨大的商品消费能力，吸引着大量商品的流入。当时，外县外省甚至国外的粮食、副食品、纺织品、日用百货、建筑材料等源源不断地通过铁路及水、陆路运进台山地区，以满足当地消费者的商品需求。大量货物输入台山在一定程度上把台山卷入到了世界市场，使得台山以外购内销为特色的商业出现了空前的繁荣。当时的台山县城台城作为新宁铁路通车后台山侨乡的一个交通枢纽，铁路总站所在地，可谓是交通便利客商云集。为了适应侨乡经济的发展，时任县长刘裁甫委派工务局局长谭铁肩负责对台

大塘车站

城城区实施改造工程，通过拆城墙、辟马路、筑骑楼，设立新的街道如城东路、环城南路、环城西路、环城北路，使旧城区与城外的西门圩、西宁市连成一片，而且还开辟了通济路、光兴路、南塘路以及北塘路等新马路。城区、西门圩改造后，城市新马路开阔平坦、布局合理，茶楼酒店、苏杭布庄、金铺银号、华洋杂货、油糖酒米等商铺林立。据载，台城人口增至2万多人，金铺银号达50余家，饮食旅业达300多家。由于商品琳琅满目，城市热闹非凡，台城一时赢得了“小广州”的雅称。除了一般的零售商业外，台城、公益、斗山、新昌、荻海等地的批发业务（当地称“发引”）也迅速发展起来，如以新昌、荻海为例，在30年代初期，两地经营油、糖、布匹、药材、纸料、酱园等批发业务的就有50多家。这些批发商的经营活动，加强了台山地区与外地的经济联系，促进了台山地区的商贸繁荣。

新宁铁路的修建，也大大促进了台山地区建筑业的发展与繁荣。当年，挣了钱的海外华人回乡娶亲，购地、建房是其头等大事。因此，早在19世纪后半期已陆续有些挣了钱的台山海外华人，带回图纸，在故乡修建华洋合璧的碉楼供家属居住。但大批的碉楼是在20世纪初至抗日战争爆发前这段时间内修建的。这一方面是由于侨汇的大幅增多；另一方面是因为新宁铁路的修建使得大量的建筑材料如水泥、钢材、木材等能够通过铁路比较方便快捷地运送到台山地区，从而使得这一时期的台山建筑业一片繁荣。据统计，目前台山的约5000余座碉楼，大多是在此时修建的。这些侨房融汇了西方古典建筑与中国传统建筑的风格与特色、其造型优美独特，已成为台山侨乡的一大景观。

在机械制造业方面，一些引进西方先进的生产设备和技术的现代化工业陆续出现。如新宁铁路公司投资13万元兴建的公益机器厂拥有二、三百名工人，设备先进、技术力量雄厚，能维修车头和客、货车辆，1926年还装配过两台小火车头。这类工厂当时在广东全省来说也是相当突出显著的。新宁铁路还开办了当时中国罕见的现代化印刷厂，至 1926 年，这种现代化的印务局已达 9 家。

新宁铁路的修建，惠及了台山、新会、江门等地区，促使三地经济的繁荣和社会地位的提高。尤其是江门在 1925 年 11 月 16 日，从当时新会县的一个镇一跃而为省辖市，这不能不在一定程度上归功于新宁铁路的兴建。时至今日，江门仍是五邑地区的政治经济和文化中心。

第三，新宁铁路的修建，推动了沿线墟镇的建设与发展。

随着新宁铁路的全线贯通，交通运输条件的改善，就像是一剂强心针，使原本沉寂的沿线地区迅速活跃

红岭车站

发展起来，如沿线附近的白沙、水步、冲蒌、大江、四九、五十、三合、大塘、沙坦、水南、公益、斗山等许多墟镇日益繁盛起来，各种店铺、茶楼、饭店、旅馆、金铺、钱庄等纷纷在这些墟镇出现，甚至专为有钱人腐化生活服务的烟馆、赌窟、妓院等场所也多有在这里开设。

对有些墟镇，在这里做一简单介绍：

大江原来分为相距近半公里的新旧两墟。旧墟约建于清嘉庆年间（1796～1820 年），新墟建于 1923 年。现在两墟已连成一片，是大江镇政府的所在地。火车站就设在现今的沙浦学校附近。白沙墟是现今白沙镇政府所在地，在清朝雍正七年（1729 年）由黄、马两姓始建。是台山立墟较早较大的墟镇之一。像其他墟镇一样，新宁铁路的通车，给白沙墟注入了新的活力，促使其迅速发展繁盛起来。其邻近的望龙岗、双龙、塘口等 30 余个村庄发展也很快，在 20 世纪 20 年代 ~30 年代之间，就修建了 200 多座楼房。沙坦市毗连陈宜禧的故乡美塘村，位于原六村火车站的斜对面约 100 多米处。它虽然旧称为“市”，但实际上与许多集镇一样应称为墟。它于清乾隆四十八年（1783 年）由陈姓始建。因墟址设在冲积的沙滩上，故名。新宁铁路的通车，为沙坦带来了很大的变化与生机。这里在 20 世纪 20 年代后期，便有杂货铺、礼饼铺、猪肉店、糖酒店、布匹百货铺、

冲蒌车站

茶楼、旅馆、药材店、木料缸瓦铺、医务所、金银铺票号、水果店、理发店等近百间，颇为繁华热闹。

随着铁路的修建，位于铁路线端点的斗山和公益两个墟发展尤为迅速。斗山墟始建于清咸丰年间（1851～1861年）。当时，中礼村人联合附近各村成立了由11户人家组成的筹建会，他们倡议每户建铺1间，各户建好后，即招商开业。起初叫大兴墟，取大家生意兴隆之意，但因该墟建在形如斗状之山下，故后来更名为斗山墟。新宁铁路通车后，因斗山位于铁路线南部之端点，乃成为台山地区东南部的交通枢纽。市场也随之日益繁荣，吸引了不少海外华侨纷纷来此地投资建铺，因而该墟迅速向东南扩展，只经过了10余年的时间，就相继建成了太平马路、山旁马路、西栅市、蟹岗埠等10多条街道，店铺发展到四、五百间。可悲的是，在日本侵华期间，日机在该墟共投下了124枚炸弹，斗山墟遭到了严重破坏。当年，火车终点站设在今天的任远中学内，现在原建筑物也绝大部分不复存在，只留下了一座长约12.6米，宽8.7米的两层结构的房屋，据说是仓库遗址。

位于潭江之滨的公益，在铁路修建之前，是一片稻田，且人烟稀少。但在铁路修建后的短短几年时间内，公益人口剧增，迅速发展成为拥有数千居民的全台山县第二大城镇。由于新宁铁路公司投资20多万元在此修建了公益铁路分局大楼以及机器厂、停车场、电灯厂、码头、长堤、工人宿舍、铁路巡警房等，使之成为了铁路公司的生产基地和后勤供应基地。而且公益交通十分便利，有铁路北连新会、江门，南接台城、斗山，沿水路则有轮船直至广州、新昌各地。铁路公司的大量投资和交通的发达，又带来了其商业的繁盛，当时在公益仅商号就有400余家，酒楼茶室10余家。镇内建有苏杭、中兴、维新、南华四条马路，其墟镇建设也迅速发展起来。

第四，新宁铁路的建成，以及一些工业企业的兴办，使台山出现了一支与现代生产方式相联系的产业

工人队伍，从而改变了台山原有的社会结构。

长期以来，台山是一个欠发达的比较落后的农业地区，其人口绝大多数以务农为业。但随着近代海外华侨引进西方先进的工业生产技术，回乡兴办实业，使这里诞生了一批现代化的工业企业，现代产业工人队伍也随之诞生。这支队伍包括新宁铁路工人、新宁铁路公司属下的机器厂、印刷厂的工人以及其他一些工业企业的工人。而尤以新宁铁路公司工人数量最多，发展高峰时曾达1600余人。

台山地区的产业工人，同样具备了中国无产阶级的诸多优点，因此，很快就成为台山社会政治生活中一支最激进的革命力量。这支革命力量，在当时腥风血

六村车站

斗山车站

雨、风云激荡的年代，挺身而出，积极投身于爱国运动和工人运动之中。如1919年大规模的五四爱国运动爆发之后，新宁铁路工人积极支持公益学生发动的抵制日货运动，援助学生在公益车站搜查和焚毁日货。1921年为声援和支持香港海员大罢工，新宁铁路工人发动了集会和募捐活动。1923年军阀吴佩孚血腥镇压铁路工人的“二七”惨案发生后，新宁铁路一千多名职工，举行了台山历史上规模最大的罢工活动，声援京汉铁路工人的正义斗争。1925年省港大罢工爆发后，新宁铁路工人积极配合罢工委员会派到台山的工人纠察队，封锁和断绝了对香港的交通。虽然在1927年蒋介石发动的“四•一二”反革命政变后，台山的工人运动转入了低潮，但他们的革命斗争并未停止，他们始终是台山革命性最强、最先进、最有觉悟的一个阶级。

第五，以陈宜禧先生为代表的台山广大海外华侨爱国爱乡的崇高精神，是老一代爱国华侨留给我们的宝贵精神财富。

具有爱国爱乡光荣传统的台山海外华侨，多年来，为祖国和家乡的发展做出了突出的贡献。而陈宜禧先生就是其中的一位杰出代表。台山市委宣传部副部长马福荫在“弘扬台山人精神，建设创新型社会”一文中（《江门日报》2006年5月24日）写道：“台山华侨为振兴中华，为家乡的繁荣和进步做出了不可磨灭的贡献。自主创新、爱国爱乡，无论过去、现在还是将来，中国第一条民办铁路的创办人陈宜禧堪称台山人的楷模。……如果说筹办新宁铁路‘不借洋债，不招洋股，不用洋工’体现了陈宜禧强烈的爱国心；那么，新宁铁路筹办的艰难更体现了陈宜禧敢为人先、百折不挠的顽强斗志。陈宜禧为新宁铁路筹建和立案，呕心沥血，百折不挠，豪气干云。”的确如此，为了促进家乡的发展与繁荣，1904年已年届花甲的陈宜禧毅然回到故乡台山，历时多年，领导建造了对台山地区发展产生了重要作用和影响的新宁铁路。在整个新宁铁路修建过程中，我们从陈宜禧身上看到的是一种崇高的理想和信念，一种科学的态度和精神，一种非凡的勇气和毅力，一种开放的思想和胸怀。这条铁路的建成，充分体现了陈宜禧强烈的爱国热忱和要改变家乡落后面貌的决心和意志。这无疑是他留给台山侨乡的一笔宝贵精神财富。这笔宝贵的精神财富必将激励后人继续为家乡的繁荣与发展付出不懈的努力。

2007 年 11 月 17 日，台山市隆重举行了“百年陈宜禧，世纪新台山”庆典大会，追授陈宜禧“建设台山特别贡献奖”。广东省副省长雷于蓝出席了庆典大会。雷于蓝在会上说，两百多年来，华侨的影响渗透在台山经济社会发展的方方面面，成就了侨乡台山深厚的文化积淀和辉煌的发展历史。由伟大爱国华侨陈宜禧先生

广东省副省长雷于蓝（左）为陈宜禧的后人颁发“建设台山特别贡献奖”（赵可义摄）

在侨乡大地上创办的第一条由华侨和当地乡亲投资、设计、兴建、管理的新宁铁路，是中华民族精神和智慧的集中体现。深入挖掘全世界台山人的精神特质，号召海内外230万台山儿女缅怀陈宜禧先生，大力弘扬以他为代表的“爱国爱乡、开拓开放”的台山人精神，齐心协力，开拓创新，建设美好明天，是新形势下台山再创辉煌的强大精神支柱，具有十分重大的现实意义。

六、中国铁路建设史上的一个丰碑

新宁铁路是我国第一条完全由华侨集资、设计、建造和经营的侨资铁路，也是我国第一条通车里程最长的侨资铁路。

在20世纪初年，从清光绪三十二年（1906年）至民国十二年（1923年），在广东省区域内，曾经建筑过三条侨资铁路，这就是粤东潮汕平原上的潮汕铁路和汕樟铁路，粤中珠江三角洲平原西缘五邑地区的新宁铁路。这三条铁路中，最早动工兴建的是潮汕铁路，最迟动工兴建及竣工的是汕樟轻便铁路。通过对这三条侨资铁路所做的对比研究，我们可以看到，最具有民族性、线路最长、工程最艰巨的侨资铁路是陈宜禧先生为首创建的新宁铁路。

我们先来看一看潮汕铁路。

潮汕铁路的建造者是张煜南、张鸿南兄弟。张煜南（1851—1911，号榕轩）、张鸿南（1861—1921，号耀轩），梅县松口人，是南洋华侨巨富。他们在时任清廷闽广农工路矿督办大臣、南洋华侨大富商张弼士（1841—1916，名振勋，字弼士，号肇燮，广东大埔人，旅印尼华侨大实业家）的感召和支持下，怀抱“实业救国”的爱国心，从1903年起招商及发动乡亲集股银，回家乡建造潮汕铁路，共筹集到资金302.59万银元，其中张氏兄弟170多万元，

江门北街车站月台

江门北街车站

在汕头的日资公司代理商、台湾人林丽生50万元、吴理卿50万元。1904年12月，潮汕铁路有限公司成立。同年，清廷铁路督办大臣盛宣怀派中国铁路“泰斗”詹天佑为潮汕铁路勘定路线，并任总工程师。后詹天佑因不满日资控制铁路建造权，愤而辞职。总工程师一职为日本人佐藤谦之夺得。由于股东林丽生系日资代理人，

所以铁路交由日商三五公司承建。

潮汕铁路由潮州至汕头，清光绪三十年（1904年）8月19日动工，光绪三十二年（1906年）11月16日通车，全长39.8公里。光绪三十四年（1908年）又从潮州西门展筑支线至意溪临江码头，该支线长2.3公里。因此，潮汕铁路实际长度为42.1公里。采购的路轨、机车、车辆等设备用款188.5万银元，另购地费60余万银元，合计248万多银元。

潮汕铁路通车后，清政府为奖励张氏兄弟投资祖国实业所做出的贡献，给他们颁授“三品京堂”衔，顶戴花翎。

潮汕铁路通车后，管理大权为三五公司所操纵。它为所欲为，损害股东利益，盘剥百姓，激起民愤，要求收回路权。张煜南兄弟便将林丽生、吴理卿的日股收回。1911年，清廷以“铁路国有”为名，竟将潮汕铁路的路权卖给帝国主义，仅以6成付款强夺了张煜南兄弟的股权。张氏兄弟蒙受了巨大损失，对清政府极度不满。后来，当孙中山发动反清革命时，张氏兄弟慷慨捐输支持孙中山，为辛亥革命做出了贡献。

民国后，1922年11月，潮汕铁路转为自营。该铁路公司拥有机车4台、客车22辆、货车36辆，均为日本制造。每日对开6～10班列车。

潮汕铁路是我国第一条侨资铁路，它首开华侨在国内创办铁路的先河，在中国铁路建造史上占有重要的一页。铁路从建成到被拆毁，30多年里对方便粤东的陆路交通，促进汕头与粤东地区的物资交流，发挥了积极的作用。下面是当时的一段记述："这条铁路对旅客无疑是一大便利，以前从汕头往返潮州，对那些坐不起轿的人来说，不得不乘船。在最佳情况下，逆水要行驶18个小时，顺水也得11个小时。最低票价逆水为60分（即6角），顺水为30分。现在火车只用1小时18分钟就走完全程，三等票价为50分。"

1937年"卢沟桥事变"后，日本侵略者从北向南，不断扩大战事。1939年初，日寇的飞机开始对潮汕铁路进行狂轰滥炸，铁路遭到严重破坏。当局以"不让侵略者利用这条铁路"为由，下令将它拆毁。1939年6月21日，在日寇侵占潮州、汕头之前，这条铁路终被彻底拆毁。

再看汕樟轻便铁路。

汕樟轻便铁路的创办人是潮属大埔旅南洋华侨富商杨俊如（1879～1925）。杨俊如因愤于中国屡受西方列强侵略与欺侮、国家日益贫弱，从青年时代起就具有"实业救国"的思想。他在上海从事商业活动时积累了10多万光洋，民国初年回到汕头，想为家乡发展做点贡献。当时潮汕铁路已通车，但汕头至侨乡澄海仍然是崎岖小道，且为多条韩江支流所阻隔，交通极不方便。于是，萌发了修建汕头通往澄海樟林的轻便铁路的念头，以方便两地的交通，带旺两地的生意，促进两地经济的发展。他联络了萧林秋等海内外乡亲，以股份形式，集资 22.5 万银元，其中，南洋侨资占 60～70%。

1915 年，汕樟轻便铁路股份有限公司在汕头成立，杨俊如任总经理。1916 年铁路正式动工建造。起点站在汕头盐埕街头（该地一直被汕头人称为“轻便车头”），终点站原计划在澄海东里（原名东陇）的樟林镇，故名。后因经济方面原因，仅修通到澄海城北的莲阳河边，并未筑到樟林。轻便铁路分几段修通：1918 年由汕头通车到澄海下埔；1919 年 11 月延至澄海外砂；1920 年 12 月延至外砂桥站；1923 年 1 月再延至澄海县城。全长 18.5 公里。

汕樟轻便铁路之所以称“轻便铁路”，是因为这条铁路与一般的铁路不同，第一，它使用的铁轨是从台湾购进的小型铁轨，类似现今矿山上运送矿石的小铁路。第二，在铁轨上行驶的是“轻便车厢”，这种“车厢”也与一般的铁路车厢有所不同，是用竹、木、藤做原料制成，形状酷似一辆轿子，下装 4 个小铁轮，置于台车上。此类轻便车厢当时共有 200 辆。第三，台车行进不靠动力,而是靠人力推动。车座分特别与普通两种。特别客座坐 2 人，由车工 1 人推动；普通客座前后两排共 4 人,由车工 2 人推动。沿路设有车站 8 个。两车相遇时,有双轨的地段则各依其线路往前推行；否则就需请一辆车上的乘客先下车,将车厢抬下轨道,让另一辆车厢驶过后,再把车厢抬上去,继续前行。在这种情况下,常常是普通客车要给特别客车让路。可见,这是一条与众不同的、非常特殊的铁路。

汕樟轻便铁路通车后,生意挺不错。每月收入国币 7000 元，以 3 成支付给推车工人的工资，公司实收 4500 元。扣除各项费用,公司可得纯利 2000 元。但自

宁城至公益线留下的新宁铁路三拱涵洞

1922年工人罢工，要求提高工资后，工资由3角增至3角5分，公司收入由7角减至6角半；加上军队骚扰，官兵坐车常不给钱；还有各种苛捐杂税，及路局内部人事纠纷，杨俊如初涉足实业界，缺乏经验及应付能力，造成入不敷出，难以维持。经此打击，重病缠身的杨俊如走投无路，于1925年被迫自杀。至1929年因经理舞弊，公司将铁路抵押给日本人办的台湾银行，押款为国币10万元。

1932年，汕头至樟林公路通车，对轻便铁路是致命打击，客源基本断绝，只能搞些货运，惨淡经营。最后，汕头市政府以市政建设为由，市区内不宜设立车站，着其迁往郊外，又因车轨横越中山公园，阻碍交通，1933年下令将其拆毁。

汕樟轻便铁路是汕头至澄海唯一的陆上交通线，对沟通两地交通、促进两地工农业的发展起到了积极作用，它以中国最早的侨资轻便铁路而载入中国铁路发展史册。杨俊如也因此于民国十二年（1923年）被聘为中华全国道路建设协会名誉干事，获得由会长许沅及副会长史量才、交通部长王正廷签发的证书予以褒奖。

新宁铁路的建造是一座丰碑。

新宁铁路的建造者是台山旅美爱国华侨实业家陈

宜禧。陈宜禧在美国长期从事铁路建造，从路工到技术员、监工、经纪人，历 40 年，他参与了美国中央太平洋大铁路及西部铁路网的建设，积累了建造铁路的丰富知识、技能和经验，这为他后来回国独立主持新宁铁路的修建奠定了良好的基础。他热爱自己的同胞，处处维护侨胞的权益，是一位受到侨胞爱戴的侨领，在社会上口碑极好，这又为他发动侨胞筹资建造新宁铁路创造了有利条件。在制订筑路章程时，他提出了“不收洋股、不借洋款、不雇洋工，以免利权外溢”的主张，决心要“以中国人之资本，筑中国人之铁路；以中国人之学力，建中国人之工程；以中国人之力量，创中国史之奇功！”在海外筹股时，还提出了“勉图公益，振兴利权”的口号。这一系列爱国主张，深得民心，受到了海内外侨胞的热烈欢迎。

从 1906 年 5 月 1 日新宁铁路正式动工，到 1920 年 3 月 30 日竣工，在历时 14 年的时间内，新宁铁路公司共招集股本 3658595 元，建起铁路总长 130 多公里。新宁铁路建有车站 46 个，桥梁 215 座，涵洞 236 座，有美制机车 9 台、客车 16 辆、货车 60 辆。先后建成公益码头、北街码头、公益机器厂、牛湾船坞厂、宁城印刷厂等一批近代工业。铁路营运之初，效益很不错。在 20 年代，每年客运量约为 300 万人次，货运量约为 10 余万

新宁铁路所使用的火车机车主要从美国和德国进口

吨。1911～1926年间，每年收入约110万～120万元。据1918年《广东新宁铁路实业估值统计册》统计，全部不动产3859808.54元，动产15059521.07元，合计5365760.61元；到1921年，陈宜禧估计全部动产与不动产共值800多万元。新宁铁路还有两项重要的创新，一是在终点站斗山设一半圆形“转车盘”，机车绕转盘180°掉头，在全国实为首创（此处现已建成“斗山公园”）。一是火车在牛湾过潭江时，采用轮渡载运，两岸系一条钢缆，用绞车把渡船绞过400米左右宽的江面。在中国铁路建筑史上，这更是一项创举。新宁铁路与詹天佑主持修建的著名的京张铁路几乎同时通车，而且这条铁路是新宁铁路公司依靠台山海外华人和当地的技术力量与劳工建成的，显示了台山海外华人和广大群众的智慧与才干，为我国自力更生建造铁路的历史写下了第一笔。铁路工程的质量也是优良的。据清朝农工商部检查大员1910年对第一期铁路工程的查验报告称，新宁铁路各车站点缀完美，形势整齐；水塔、车厂等设备都很理想，尤其是煤仓之建设与装卸火车用煤方法，不费人力，堪称先进；涵洞、管道、桥梁之架设，亦甚得法。这足以说明这段铁路是符合质量要求的优质工程。

刊登在《西雅图星期天时报》上的新宁铁路宣传画

与潮汕铁路和汕樟轻便铁路相比较，新宁铁路具有投资大、通车里程长、客货运量大、建造技术先进、社会影响广泛等特点。而且新宁铁路的建设在海外也引起了一定的反响，如第一期工程完工后美国《西雅图星期日时报》（The Seattle Sunday Times）用了整版篇幅刊登了陈宜禧修筑新宁铁路的宣传画，在文字说明部分，编者引用了法兰克•卡彭特（Frank G• Capenter）对新宁铁路的评价：“一条具有划时代意义的铁路正在广州西南兴建，它用中国人的资本，中国人的劳力和智慧，这就是新宁铁路。”（《The Seattle Sunday Times》Nov.28 1909）

1909 年，清廷嘉奖全国修筑铁路有功人员，陈宜禧被聘为农工商部四等顾问，官阶由正三品晋升为正二品，尊称为资政大夫。这是当时全国铁路界所获得的最高荣誉。

在今天看来，一百多公里长的铁路线似乎根本算不了什么，但在当时的历史条件下，修建这样一条铁路可谓是充满了艰辛，这其中不仅有资金、技术等方面的问题，更有地方封建势力、宗族势力等的阻挠与干扰。因此，可以说在整个新宁铁路的修建过程中，始终是充满了矛盾和斗争。面对重重困难，陈宜禧总是以坚忍不拔的毅力去化解矛盾，消除阻力，并最终创下了中国铁路建造史上的一个奇迹，成为中国铁路史上的一座丰碑。

伟哉，陈宜禧！历史不会忘记他，人民不会忘记他！

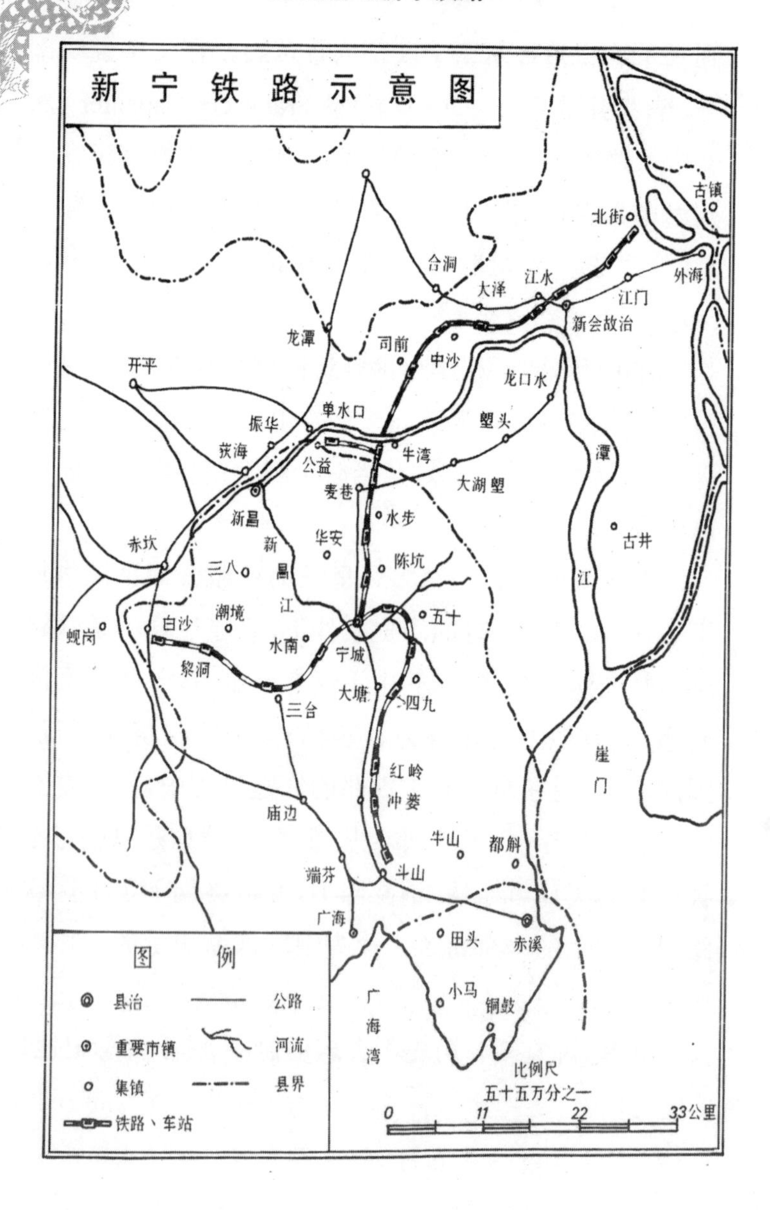
新宁铁路示意图
古镇
北街
合洞
大泽
江水
外海
江门
新会故治
龙潭
司前
中沙
开平
龙口水
单水口
塱头
振华
荻海
公益
牛湾
潭
大湖塱
麦巷
新昌
水步
新
古井
赤坎
华安
昌
三八
陈坑
江
江
蚬岗
白沙
潮境
五十
水南
宁城
黎洞
大塘
四九
三台
崖
门
红岭
冲蒌
庙边
牛山
都斛
端芬
斗山
广海
田头
赤溪
广
海
湾
小马
铜鼓
图例
县治
重要市镇
集镇
铁路、车站
公路
河流
县界
比例尺
五十五万分之一
0
11
22
33公里

后 记

台山市是我国闻名遐迩的侨乡，有“中国第一侨乡”的美誉，华侨文化与侨乡文化的资源十分丰富，是台山侨乡响当当的“名片”。为了大力弘扬台山侨乡的文化资源，提高台山的文化核心竞争力，更好地服务于经济发展与社会进步，服务于侨乡文化大市的建设，打造台山的文化品牌，2005 年 9 月，时任中共台山市委常委兼宣传部长的谭国渠同志、副部长马福荫同志，同五邑大学原党委书记胡百龙同志以及张国雄、梅伟强同志多次磋商，决定共同策划出版一部图书，这就是本书编写和出版的由来。之后，双方组成以谭国渠、胡百龙同志为组长的课题小组。

承担本书写作的五邑大学“广东侨乡文化研究中心”和“五邑侨乡文化研究所”的张国雄、张运华、梅伟强、冈虎、刘进、戴永洁等 6 位老师，长期以来一直关注并致力五邑侨乡文化的研究，并有不少著述；研究者们对台山的侨乡文化情有独钟，积累了不少研究资料。组成课题组后，老师们迅即拟定写作计划及题纲，经与谭国渠、马福荫同志认真讨论后，决定从 10 个不同的侧面去揭示台山侨乡文化的内涵，凸现“中国第一侨乡”台山的文化之魂。本书以多年学术研究为基础，大量使用第一手资料，采取较通俗的形式表现，每本5万字左右，图文并茂，努力做到真实性、知识性、可读性兼具，希望使专业研究人员和一般读者都能够受益，并成为对外友好交往与文化交流馈赠之礼品。

一年多来，课题组成员多次深入台山侨乡进行调研和查阅文献资料，其间得到了台山市委宣传部、市文化广播新闻出版局、市文联、市宗教事务局、市档案局（馆）、图书馆、博物馆等单位，还有江门五邑华侨华人博物馆筹建工作领导小组办公室的大力支持，为作者阅读及拍摄有关的图文资料，提供了诸多方便，在此一并表示衷心地感谢。各撰稿人还阅读了众多专家、学者的著述，限于篇幅和体例，对所引用的图文资料，除特殊情况外，均未注明出处，恳望予以理解，并致深切地谢忱。

台山旅居美国的乡亲、实业家陈泽洲先生伉俪关心并资助本书的编写工作，对此深表谢意。

中国华侨出版社及台山彩宁印刷制品有限公司，对本书的编写与出版，给予了宝贵的指导和支持，我们表示由衷地感谢。

台山侨乡研究的基础很薄弱，作者们的工作也是初步的，书中可能有错漏之处，恳请行家和读者们批评指正。

本书每编书稿的初稿写出后，马福荫同志都及时地把它们发给台山有关的专门研究工作者作为“第一读者”进行审读。这些研究工作者都是“台山通”，他们认真审读，严肃把关，订正史实，提出修改意见，令我们非常感动。为此，我们在“后记”中列出审读者的姓名，以示感谢。参与本系列书审读的台山同志有（按姓氏笔划为序）：邓有源、王景芳、邝阜双、朱银仙、刘锡培、李光潮、李剑昌、李道强、陈文俊、陈杰华、陈现辅、陈哲深、陈新贺、余振明、余振扬、苏育人、吴齐羡、杨设仍、梅逸民、黄剑云、黄造时、梁金华、詹长发、谭启明、谭锡明、蔡和添。

台山历史文化集编写组

2007 年 10 月于五邑大学